▲ 在北京古观象台（1991 年）

在北京远郊爨底下村（2001 年）▲

▼ 澳大利亚·悉尼歌剧院前（2002 年）

刘心武·著

建筑文化名家随笔

材质之美

刘心武建筑文化酷评

"您觉得'大鸟巢'好不好看?"一位大学生问我。"大鸟巢"指的是现在已经破土动工的200X年奥运会中心运动场。相信人们都从传媒上看到过它的设计效果图。这位大学生知道我译是建筑评论，就以想听听我的看法。我对提问的大学生说："好不好看，您就是视觉享受。只是一般人评判一个建筑物的起点，有的人对建筑物的评判总停留在起点上，再这不出新步，更上不了层楼。起点也就成了终点，这个建筑好看，那个建筑难看，泽来泽去意思不大。

中国建材工业出版社

▲《材质之美》封面（2004 年）

刘心武文存18

[1958—2010]

建筑评论 第二卷
材质之美

刘心武◎著

江苏人民出版社

图书在版编目（CIP）数据

材质之美／刘心武著．—南京：江苏人民出版社，
2012.11

（刘心武文存；18.建筑评论.第2卷）

ISBN 978-7-214-08176-6

Ⅰ.①材 … Ⅱ.①刘… Ⅲ.①散文集－中国－当代
Ⅳ.① I267

中国版本图书馆 CIP 数据核字（2012）第 088294 号

书　　　名	材质之美
著　　　者	刘心武
责 任 编 辑	刘　焱
统 筹 编 辑	李　丹
特 约 编 辑	朱　鸿
文 字 校 对	陈晓丹　郭慧红
装 帧 设 计	门乃婷工作室
出 版 发 行	凤凰出版传媒股份有限公司
	江苏人民出版社
出版社地址	南京湖南路1号A楼　邮编：210009
出版社网址	http://www.book-wind.com
经　　　销	凤凰出版传媒股份有限公司
印　　　刷	三河市金元印装有限公司
开　　　本	700毫米×1000毫米　1/16
印　　　张	15.5
字　　　数	205千字
彩　　　插	4
版　　　次	2012年11月第1版　2012年11月第1次印刷
标 准 书 号	ISBN 978-7-214-08176-6
定　　　价	32.00元

（江苏人民出版社图书凡印装错误可向本社调换）

《刘心武文存》出版说明

　　《刘心武文存》收录刘心武自 1958 年 16 岁至 2010 年 68 岁公开发表的文字约 900 万字。《文存》共 40 卷，按文章门类收录，计有长篇小说 5 卷、中篇小说 4 卷、短篇小说 5 卷、小小说 1 卷、儿童文学 1 卷、建筑评论 2 卷、《红楼梦》研究 4 卷、散文随笔 11 卷、杂文 1 卷、海外游记 1 卷、多品种（图文交融文本、报告文学、诗歌、剧本、足球评论、译述）1 卷、创作谈 1 卷、理论批评 1 卷、早期（1958 年至 1976 年）作品 1 卷、自述 1 卷。因跨越时间达半个世纪以上，收录定有遗漏，但其此期间的主要作品，相信均已收入。

　　《刘心武文存》各卷均附有《刘心武文学活动大事记》及《刘心武著作书目》，可备检索。

　　编辑出版《刘心武文存》的目的，意在供各方面人士阅读欣赏、分析研究、批评批判、收藏保存。

刘心武文存

18

目录

视觉之外

据说，国家大剧院的业主代表，对参加投标的设计者们提出了三个"一看就是"，即要求所设计的作品要一看就是剧院、一看就是中国的剧院、一看就是建在天安门广场的剧院。由此，引出了争议，如学者叶廷芳就强烈质疑，他举好评如潮的悉尼歌剧院为例，那建筑的外观，一看就不是传统的歌剧院；他认为凡人类的优秀建筑文化遗产都可大胆借鉴，不必"一看就是中国"——这里插入一个我想到的例子：北京阜成门内和北海公园的白塔，一看就不是中国而是尼泊尔的建筑风格，可不也挺为北京的城市风貌争光吗？——他还认为以有政治内涵的概念来要求设计者达到第三个"一看就是"更无必要。这关于三个"一看就是"的争论，大概还会继续下去。

其实，建筑物，尤其是大型的公众共享建筑，不能仅从视觉上去要求和评价。拿国家大剧院来说，它是为所有公民而建的，而有权利享用它的公民中，就有绝对不可忽视的盲人社群，盲人公民不仅可以用听觉到大剧院中去享受悦耳的音响，他们也还可以通过其他的能捕捉信息的感官，去细品大剧院的种种曼妙之处。除了盲人，还有聋哑人，以及其他状态的残疾人与智障人，我们国家大剧院的设计、建造，是一定要把他们的享受权益考虑在内的。

　　参与国家大剧院设计的机构，它们的设计方案，已在北京向公众展示过，业主方面和评审者，都能做到尽可能地听取一般民众的意见，体现出必要的慎重，这很好。一些看过展示的朋友，提及他们中意或不中意的方案时，频频使用着诸如"让眼睛一亮"、"好看"、"顺眼"或"看着别扭"、"似曾相识"、"难看"等褒贬词语。这也难怪，一般建筑设计的沙盘模型，所提供的信息，主要就是视觉上的感受。

　　讨论建筑与人，特别是公众共享建筑与人的关系，无论在实用功能上还是审美功能上，都绝不能仅仅停留在视觉这一个方面；视觉感受，即我们一般所说的"好看"或"不好看"，也许是评价一组建筑的一个极重要的方面，但必须指出，它未必是第一位的。

　　我以为，一组公众建筑，它首先应该让公众感到舒服，这舒服不仅应体现在视觉上，也应该体现于其他方面的感受上，最后，应该渗入心灵，升华为一种由衷的欣悦，一种自豪感，乃至于一种哲理性的憬悟。拿国家大剧院来说，作为一个公民，我到那建筑群中去，不仅应该能从观赏具体的剧场节目中，感受到其视听功能的健全优异；也不仅应该从附属的服务性设施中，感觉到舒适方便；更不仅是从其整体气势和局部造型上获得视觉上的美感；我还企盼着，那建筑群本身，就应该成为一个大型的舞台，给我这样一个公民，享受人生的丰沛乐趣。我虽并非盲人，然而，我也可以在那建筑群中的某一部位，舒适地坐在某处闭目养神，从设计者的精妙设计中，听觉上吸纳到若隐若无的"市声"，皮肤上感受到疏导恰切的气流，嗅觉上感受到建筑材质的良性气味，并因建筑空间中人造水景与花坛树木的配置而感受到滋润与芳馨……倘若我徜徉其中，则我的骨骼应有一种位于大型人造空间里的特异感受，那室外空间应该是既有管道式也有敞开式的，应有民众自娱的区间，使个体生命与群体生命可分可合，可隐可曝……最后，引发出公民的尊严感，民族的自豪感，以及与整个人类亲和的愿望——大同的理念与人道的情怀。我这种种远非"一看"

就能概括的合理欲求，都应在那国家大剧院的建筑群中，获得满足。

我对国家大剧院的这些具体的渴求，是否有点过分，成为苛求了？也许如此。但无论是业主、设计者，还是评论者，能在视觉效应之外，多考虑一些方面，我想这对于好建筑的出现，实在是十分必要的。现在全国各地都在大兴土木，许多的大型公众共享建筑都在上马，因此，我切盼自己全部意见中的这个核心观念，不仅能引起与国家大剧院有关的各界人士重视，还能引起更多地方、更多人士的呼应。

建筑的戏剧性

西洋古典建筑有一派很讲究戏剧性，比如罗马梵帝冈建筑群，先以拱廊围合的广场构成气魄宏大的"序幕"，引入圣彼得大教堂后，奇观叠现，除了地面上的瑰丽殿堂，还可循螺旋阶梯转入地下系统，里面是历届教皇和红衣主教的陵寝，气氛特异……此"幕"过后，进入西斯庭教堂，换了一幕，其由米开朗琪罗绘制的天顶画，展开了创世纪的雄浑场景……总之，踏庭入室宛若观剧，一番铺垫，几度曲折，高潮陡起，而煞尾悠然。

中国古典建筑的审美追求中，戏剧性往往也被提升到一定的高度。曹雪芹写《红楼梦》，里面的大观园虽然并非现实中真实园林建筑的摹写，而是加上了主观想象，但其中对园林建筑戏剧性的刻意强调，也确实有着坚实的现实依据。他笔下的大观园，大门开启后，"只见迎面一带翠嶂挡在前"，怪石藤萝掩映中，微露羊肠小径，这就很有"戏"。大观园中的怡红院房合建筑更是"好戏连台",他三次通过不同人物的观察感受来写怡红院的妙趣,第一次是贾政等步入尚未启用的内室,只觉得花团锦簇,剔透玲珑,"倏尔五色纱糊就,竟系小窗;倏尔彩绫轻覆,竟系幽户","未进两层,便都迷了旧路,左瞧也有门可通,右瞧又有窗暂隔,及到了跟前,又被一架书挡住,回头再走,又有窗纱明透,门径可行;及至门前,忽见迎面也进来了一群人,都与自己形相一样,却是一架玻璃大镜相照。"这架玻璃镜,在第二次通过穷亲戚贾芸的眼中再次得到描写:他听见贾宝玉招呼他的声音,"抬头一看,只见金碧辉煌、文章闪烁,却看不见宝玉在那里,一回头,只见左边立着一架大穿衣镜,从镜后转出两个一般大的十五六岁的丫头来……"第三次则通过村妪刘姥姥的遭遇来写,刘姥姥面对那房舍里的西洋式透视立体人像画和新奇的玻璃镜当然更觉惊奇,她用手去摸那大穿衣镜,"这镜子原是西洋机括,可以开合,不意刘姥姥乱摸之间,其力巧合,便撞开消息,掩过镜子,露出门来……"可谓达到了戏剧性的最高潮。概括以上描写,可知中国古典园林建筑的戏剧性趣味主要体现在:曲径通幽,七穿八达,勾连回旋,迷离扑朔,意料之外,情理之中。

但西方随着现代主义的兴起,与文学上的反情节,绘画上的反具象,戏剧上的崇荒诞一样,建筑艺术也渐渐抛弃了戏剧性,其中一派更强调简洁,直奔功能,如包豪斯学派设计的公共建筑。但随着岁月流逝,在越来越崇尚多元化的今日,戏剧性似乎又开始回到了某些建筑设计师的思维中,某些后现代建筑在讲究拼贴性、装饰性的时候,把古典建筑中的某些戏剧性元素也加以了拼贴,以为装饰,如法国年轻的建筑设计师 B、赛禄为多尔多涅市中心设计的西拉诺居民住宅综合楼,就使用金属网络与异形挡板在楼体立面外构成了变化多端的走道、外廊、小平台、安全梯,"戏味"十足,使整个居民楼生气盎然、妙趣横生。

目前已经正式开工的中国国家大剧院,其设计风格完全是非古典的,既非西洋古典更非中国古典，但它在戏剧性的审美追求上，却有与中西古典建筑中某些流派相通融的内在脉络。首先，它在视觉上构成惊奇性冲击，而戏剧的要义之一就是营造惊奇；再，它让 UFO 式的水晶半碟体"开裂"地暴露出部分内堂，"犹抱琵琶半遮面"，勾人追索，这就很有"情节"；它还让其四周环绕水池，其倒影在多风的北京会常有摇曳之姿，并且让观众穿池而入其中，这就很有戏剧那动感十足，幕幕推进，以达高潮的特点。我企盼能有优良的施工效果，把其"戏中有戏"、"浑身是戏"的独特设计创意完美地体现出来。

当然，戏剧性元素不宜在建筑设计中滥用。使用不当，不仅会在艺术趣味上流于粗俗堆砌，而且会妨碍功能性正常体现，并且会大大地增加建筑成本，必须三思而后行。

作为雕塑的建筑

本来我写下的题目是《建筑与雕塑》，但那样会让一些人以为我所要谈的仅仅是作为建筑物附属成分的装饰性雕塑。不妨先从这个角度谈谈。依我观察得来的体会，建筑物附属的装饰性雕塑大体上又分为两类，一类是连体的，另一类是离体的。所谓连体，就是雕塑与建筑物本身相连接，比如巴黎圣母院第一层与第二层之间，有二十八具以色列和犹太国王的雕像；再往上，在大玫瑰花窗前面，则是更加醒目的圣母以及护卫着她的圣子与天使的圆雕，等等。西方古典建筑物上的连体雕塑，无论是完整的圆雕、半圆雕还是浮雕，多半以装饰性为主，这些装饰品当然会含有某些宗教或世俗的意义，却并非建筑物本身必须具有的承重或切割空间区域的构件。中国古典建筑上的大型连体雕塑似较少，个别殿堂的立柱上或许会出现盘龙雕塑，但那有特别的使用规则，绝不普及；宫室、宗教建筑的顶部会有螭吻檐兽之类的名堂，不过在比例上一般不会十分突出，而且往往还具有十分明确的功能；民居园林建筑会附属许多琐细的雕塑，如精美绝伦的砖雕，但如果是人物造型一般都不会超过三十厘米，绝少有西方那种类似真人甚至超过真人高度的圆雕出现。所谓离体雕塑，就是配合建筑物但离建筑物又有一定距离的雕塑。西方的这类古典式雕塑多注重与建筑物周遭的花草树木水域丘壑相配伍，中国的这类古典式雕塑则更专心于与建筑物本身呼应，如牌楼、华表、石狮等等，即使周遭没有花草树木，这些格外讲究对称、均衡意蕴的离体雕塑也能产生如花似树的美感。

随着全球一体化的进程，建筑科技、建筑工艺、建筑材料、建筑施工管理等方面日趋一致，建筑规划、建筑设计方面很难像古代那样东西方各自一套，势必也要趋同。现在的新建筑越来越讲究简洁，即使是新古典主义建筑，或者讲究拼贴效果的后现代建筑，在使用连体雕塑这种古典建筑语汇时都十分慎重；大多数建筑设计基本上完全杜绝了连体圆雕，半圆雕也很罕见，只偶尔搞一点浮雕，而且往往还是浅浮雕。至于离体雕塑，虽然现在使用得相当多，但一是很少采用对称、均衡的配伍方式，二是越来越趋向于抽象化，在当前的中国，最受欢迎的是介乎抽象与具象之间的那种，例如北京建国门内长安光华大厦前面的戏曲脸谱雕塑。

现在我要说到正题，就是我们应当确立这样一种建筑理念：建筑物本身就该是一种大型的雕塑品。法国雕塑家罗丹一般以石料搞雕塑，他有个说法常被人引用，就是在他看来，完成一件雕塑，只不过是把石料的多余部分去掉罢了。作为雕塑的建筑，是不是也可以作如是观呢？除了中国西北的窑洞那类很特别的建筑，一般来说，是不可以这样说的。罗丹的雕塑是"有中生有"，建筑师的设计则是"无中生有"。或许可以这样反过来说：在建筑师看来，完成一件建筑设计，只不过是在大地上把必须多出来的东西让它多出来罢了。低能的雕塑家总不能恰到好处地去掉石料的多余部分，常常该去掉的没能去掉，而不该去掉的却愣给削掉了。低能的建筑师总不能恰到好处地无中生有，现在的通病，似乎更多地出在生出来的东西过多，而不懂得节制。

有的建筑师本身就是雕塑家，比如法国的柯布西埃。他有许多可以放置在展览馆里供人当做单纯的造型艺术欣赏的雕塑作品，而他设计的位于小丘上的朗香教堂本身也就是一件完整的大型雕塑艺术品。柯布西埃的成功昭示了我们，想象力对于建筑师有多么重要。从前人的创造里获得启示是必修之课，但总是从老师那里偷艺，再聪明也不过是设计出一些可以获得高分的"作业"罢了。想象力的最高层次是"前不见古人"，甚至也不期望"后有来者"，从厚积的学识与经验中先达到"无"的境界，再"无中生有"出瑰丽诡奇的设计。悉尼歌剧院、巴黎蓬皮杜文化中心，或许还可以把上海的金茂大厦，都归纳为这种想象力的产物。安德鲁设计的中国国家大剧院，那"大水泡"的方案出来以后，一位朋友在我面前惊呼："亏他想得出来！"他是愕然并且愤怒，因为他说他"无论如何也想象不出来国家大剧院可以是这种模样！"我却先是本能地叫好，然后才去细究其功能性是否有漏洞需要弥补——比如因为在天安门地区必须限高，所以整个剧院的使用空间是下陷的，那么观众的疏散会不会派生出多余的麻烦和隐患来？我的叫好也使用了同一句式——"亏他想得出来！"只是口气里充溢着狂喜与钦佩，我以为人类文明中最可宝贵的就是突破性的美好想象及其把想象勇敢地化为现实存在的作为。安德鲁的设计使建筑物本身构成了一件大地上的巨型水晶雕塑，只要他能把功能性方面的欠缺修正好，我以为北京市民可望在不久的将来从那座建筑里享受到一种特殊的快乐。

把建筑物本身作为一件大型雕塑品来想象，这是我对当今建筑师进入设计思维时的殷切期望。

作为建筑的道路

在我与北京电视台合作的《刘心武话建筑》系列节目里,有一集是《桥梁与道路》。有的观众开始不明白:桥梁作为建筑还说得通,道路难道也算一种建筑?

道路当然是建筑,而且是很重要的建筑。道路所形成的既具有规定性又具有开放性的空间,使人类生存不仅超越了所有植物,也优胜于所有动物,比房屋那类建筑更能体现出人类生存的尊严、智慧与乐趣。古代的道路比较简陋,而且多半是断断续续地存在,所以如果从空中鸟瞰,轨迹不是太醒目。中国的万里长城是大型的墙体建筑。比中国万里长城更古老的埃及金字塔,则是巨型陵墓建筑;把它建造得那样大,并非是功能性方面的需求,以其庞大的存在骇人眼目,激起人们的敬畏感,恐怕才是其首要的目的。至今人类还有以大型建筑显示其文明程度的癖好。一些经济开始腾飞的发展中国家竞相建造"世界第一高楼",并在城市中营造摩天楼群,究其心理,是在宣泄其压抑已久的"脱颖而出"的欲望情愫,也是刻意想在自己民族的土地上留下文明发展新阶段的醒目轨迹。

但是,从 20 世纪下半叶以降,如从空中鸟瞰,最炫目怡神的文明成果往往并非大体量的建筑或摩天楼群,而是由公路网络构成的轨迹。

无论建筑物多么庞大,从空中下望,也还只能构成一个"点"。像长城那样的建筑固然可以成"线",但在现代社会生活中那样的屏障已经完全失却了其功能性,不可能再有仿效者。如果城镇等密集居民点是"面",那么,联结当今的"点"、"面"的"线",就是道路。铁路线一度是从此"面"到另"面"的最长的路径,但到了 21世纪,则在许多国家和地区,最长和最具网络效应的道路则是公路,特别是快速发展中的高速公路。

现在衡量一个国家与地区的文明程度，在很大的程度上不是看那里有多少庞大的建筑或有多少密集的建筑群，而是要看那里有多长和多少具有网络沟通价值的高速公路。

有些人认为，公路固然是重要的，但只具有功能价值，不具有审美价值。这种看法是错误的。

地球上的人文景观，大而言之，站在地面观察，要看建筑物群体所构成的天际轮廓线；从空中鸟瞰，则是道路和桥梁构成的轨迹。在高原山区，蜿蜒盘旋的公路如丝绸飘舞；在平原旷野，笔直的公路如首尾相衔的利箭。我曾多次在飞机上凭窗俯瞰，每当航班快抵达目的地时，会越来越清晰地观察到公路在广袤的田野与成片的建筑物中，构成明显的轨迹，尤其在接近大都会的地方，路径会呈放射性恍若蛛网一般，其立体交叉处，更会有或似蝶翅或如盘花的银色弧线，细看之下，那些直线和弧线中都有各色"甲虫"在梭动——不消说，那是种种不同类型的汽车在各奔东西。我以为，那是人类在地球上所营造出的最美丽的建筑景观。世界上有的城市景观以其城内的建筑取胜，有的却凭其环城的公路景观取胜，比如美国的洛杉矶就是这样的一座城市，摄影艺术家最喜欢拍摄的画面并非那些摩天楼，而是从飞机上航拍的城郊公路景观——乍看你会以为那是华美的刺绣作品。

路，真是个了不起的东西。尤其是现代化的公路，它的沟通能力真是太强了。我曾在美国乘"灰狗"（一种长途汽车）旅行，那车窗外起初是红尘万丈，一个眯盹醒来，窗外竟已是茂密森林；再一个眯盹醒来，窗外却是一派只有沙砾与稀疏灌木丛的荒凉；瞪大眼睛观望外面，渐渐地，树多起来，草茂起来，小镇在望，风力发电机仿佛巨大的儿童玩具……加油站到了，彩旗飘扬，一股快餐店的热奶酪气味袭进窗内……稍事休息后，继续旅行，送别晚霞，倏忽又有万丈红尘扑面而来，一个新的城市到了！美国因为高速公路四通八达，不仅长途汽车旅行十分快捷方便，自已开着一辆车，也能极轻松地周游全国；他们还时兴在假期租一辆"宅车"，去自己愿意去的地方暂住一时，那种大型汽车里面的空间十分合理地切割为小餐厅、卧室、卫生间，到了目的地，可以在指定的停车场把车上的上下水管道、煤气管道以及电缆与地面预置的管线接口接驳妥帖，吃喝拉撒睡带洗澡、看电视打电话，车里全解决了；这样旅游，既省钱，又有趣；也有某些美国人干脆就买辆这样的车，"处处无家处处家"，过起日子来了。我们中国的高速公路原来比较少，但改革开放以后，公路国道的建设进展很大，长途汽车业在线路、车辆、服务上也有了很大的提高，现在可以从北京乘汽车风驰电掣地直达上海，就这段路的功能、气派及沿途景观而言，堪称世界一流。从空中鸟瞰我国大地，那银色公路的轨迹也颇动人心魄。当然，我们也不一定完全像美国那样，一味地修造高速公路，而令铁路业萎缩起来——我也曾在美国从旧金山乘火车去丹佛，那始发站之"门前冷落车马稀"，以及上车后一整节车厢里竟只有我和爱人两位乘客等情景，都令我永远难忘——美国毕竟支配着地球上最大份额的石油能源，个人拥有汽车的数量也是我们很难与之"水流平"的，我想，我们的铁路还应大大发展。过去，我们的铁路地理景观主要是"沉沉一线穿南北"，现在那鸟瞰效应花哨多了，但还不够丰富畅达，还要努力铺敷才是。

在 21 世纪里，我希望我们国家更加文明，而从建筑业繁荣昌盛这个角度而言，我以为文明轨迹路为先，像摩天大厦那样的奢侈性地标我们是否一定要与别人"竞美"，似可讨论；而在公路、铁路的建造上加大力度、速度，尽快使我国成为道路最多最畅的强国，则应无可争议。祝愿我国的地图工作者在新世纪里不断地出现"欢乐的烦恼"——哎，又得在新版地图上增添新的铁路和公路了，忙不胜忙啊！

舞蹈的建筑

我曾写过一篇《跃动》，谈及中外建筑设计中追求灵动飞跃意趣的一些例子，现在要进一步探讨：建筑物是否可以呈舞蹈的态势？"建筑是凝固的音乐"已成为人们的共识，建筑与绘画、雕塑、文学、戏剧相通，争议也不大，但建筑能与舞蹈相通吗？初想，答案是否定的。建筑就其功能性而言，首先得稳定，没有坚固不移的品质，就没有安全感，否则人们怎么使用它？但再往细想，音乐其实是比舞蹈更加"非空间"的"纯时间"艺术，没有连续不断的流动，哪来的音乐？但人们拿音乐比喻建筑时，加了一个"凝固"的限制词，就觉得二者在审美上相融通了。那么，在舞蹈与建筑之间也嵌入一个"凝固"的限制词，把某些建筑比喻为"凝固的舞蹈"，可不可以呢？我觉得那也是可以的。

在中国古典建筑与西方古典建筑里，要找出"凝固的舞蹈"的例子来，似乎比较困难。我想这是因为古典时代人们的思路不像如今这么多元狂放，更因为建筑设计手段与施工技术远没有如今这么先进，所以难以"舞动"；如今更有各种新型建筑材料接踵出现，建筑设计师们好比巧妇拥有庞大的米粮库，可以随心所欲地在炊事中大显身手，因此，舞蹈性思维进入了某些建筑设计师大脑，一些"舞蹈的建筑"也便应运而生。这是可喜的事。

最先把舞蹈元素糅进设计中的，可能是某些大型运动场馆的天棚。德国慕尼黑奥运会运动场开风气之先，把天棚设计成仿佛往巨人肩膀后甩去的风衣，呈舞动的态势，生动活泼，奇诡醒目，此种设计后来渐成范式，只是新的设计里不断花样翻新，韩国为世界杯足球赛新建的比赛场，就是最新的一个变体。这种糅进舞蹈元素的设计方式也在世界各地的机场设计中流行开来，美国中部科罗拉多州丹佛空港的天棚就恍如一大匹在风中呈曲波状舞蹈的银缎。舞蹈元素说白了就是大量使用非规整曲线曲面。美籍华裔建筑大师贝聿铭的建筑设计里使用非规整曲线与曲面非常谨慎,可以说是"惜曲如金",但他为台湾东海大学设计的鲁斯教堂,用四片从地面升起在顶处合拢携抱的略微呈扭动感的曲面墙体构成,却营造出了一种端庄而又轻盈的舞姿感,非常符合"年轻人的教堂"这样的功能要求。

但是,如果不仅仅是糅进舞蹈元素,而是完全地"舞蹈化",这样的建筑是可能的吗?回答是肯定的。美国建筑师 O.盖里就为西班牙毕尔巴鄂市的古根海姆博物馆作出了这样的设计。他所设计的这座博物馆几乎完全由"扭动的肢体"构成,没有一个立面是规整的,不仅天棚,所有的使用空间,包括走廊,充满了舞蹈的曲面和曲线。建成后的博物馆,通体仿佛是几个穿着紧身衣的舞蹈家在忘情的舞动中绞缠在一起。他自己说,如果没有电脑,拿以往的设计工具是不可能作出这样的设计的。施工过程中,他亲自在工地参与,也深感用传统工艺和传统材料是无法兑现他的设计的。这座博物馆已于 1997 年建成开放,成为该市甚至全西班牙的新地标。当然,争议也是有的,一是认为太怪异,二是批评其造价太高。

毕尔巴鄂古根海姆博物馆在地球上的出现,是建筑艺术的新胜利,但这种"舞蹈的建筑"恐怕只能作为一种流派,而且是小流派而存在。这一流派的设计,尤其是化为大地上的实际存在,需要天时、地利、人和各方面因素的机缘凑迫。但特别看重建筑设计的艺术创造内涵的中国建筑师,尤其是年轻一代,据我所知,有的一直在寻找机会施展自己的"舞蹈性思维"。中国传统艺术里,跟舞蹈最相通的领域是书法里的狂草,舞剑器与挥毫墨绝对是异曲同工,中国建筑师在借鉴舞蹈时也借鉴书法,这构成一种创新优势,是特别可贵的。赵波就设计出了若干从中国书法笔意演化出的综合性楼体,尽管到目前为止这种设计只是一种观念性的展示,尚无被业主采用的可能,而且就我所见到的几个图形而言,还不免有些个生硬,但这种创新的设计思维，却是应该被大力肯定的。中国什么时候能出现"舞蹈的建筑"？不着急，早晚会出现的吧。

万般艰难集一顶

房屋要有屋顶。中国过去除了高塔，绝大部分房屋层数都不多，一般只是一层，例如北京紫禁城建筑群，其中只有极少数两三层的楼阁，连最恢弘的太和殿也只有一层，虽然它有高大的多层月台，而且顶部巨大，但里面的空间并不横切为两层以上。外国古典建筑中楼房似乎多些，但层数一般也不太多，像哥特式教堂建筑，尽管非常高，里面的主空间却由尖拱形肋柱一托到顶，仍是一层。顶部处理，是房屋建筑中最重要的环节之一。过去中外的宫室建筑、贵族富人住宅，以及宗教神坛庙宇，对顶部的形式追求往往大大超越了功能需求，而是令其构成一种权威、荣耀乃至意识形态的象征性符码，像意大利佛罗伦萨修造了140年才告竣的圣母之花大教堂，中国北京颐和园万寿山上的佛香阁，前者那巨大的半蛋圆形顶，后者那八角形的攒尖顶，其投资量和施工难度都大大超过顶下部分，可谓两个"唯顶主义"的代表作。

近现代建筑，尤其是城市建筑，普遍向高层发展，不仅大型公众建筑如是，居民住宅也蹿高不懈。这一方面固然是人口增加导致空间需求量暴胀所至，另外也是科技工艺提升后一种群体心理的外化——仿佛在向大自然炫耀"瞧瞧我们人类能蹿得多高"。高楼大厦改变了古老城市的天际轮廓线，消解着旧有的审美意识，从视觉到心灵对现代人产生着强烈的冲击。但高楼大厦的顶部处理，却成为了像北京这样的古老城市的群体焦虑。焦虑什么？——如何使高楼大厦的顶部与传统建筑的顶部和谐，也就是如何"保护古都风貌"，如何把古典的屋顶与现代化的高楼融合为一个合理的整体。化解这一焦虑的捷径，一度被认为就是给现代化西洋式塔楼或板楼"穿靴戴帽"，"穿靴"这里暂不论，单说"戴帽"，那就是戴"亭子顶"的琉璃帽或类琉璃帽；但这样的"亭子顶"遍地开花的结果，是焦虑未见减轻，反而加剧——就仿佛在咖啡里添加芝麻酱一样，越品越不是味儿。

也不是说北京近二十多年的新建高楼里，所有的"亭子顶"都"戴"失败了，但可以这样说：凡"戴"得好的，与其说是"戴帽"，不如说是在设计过程里早已打破"鞋"、"裤"、"衫"、"帽"的刻板界限，而是通盘考虑的一种结果。高楼大厦本身，具有反传统的第一属性，因此关于北京该盖什么样的高楼大厦的规划与设计，也就必须面对这个无可奈何的属性。在认知了这一属性的前提下，思路反而可以大为畅通，与其坚持"保护古都面貌"的提法，莫若采用"使古都有机更新"的提法。这样，传统与现代就不是绝对龃龉的关系，而可以构成"子承父业，锐意革新，更上层楼"的温情接续关系。在这个宽容而又丰富的思路里，高楼大厦的顶部处理也就不会再有"万般艰难集一顶"的喟叹了。

北京的高楼可以有把传统的攒尖顶、庑殿顶、歇山顶、卷棚顶……的元素化解到总体构思中的处理方式，也可以坦然地借鉴西方从古典到现代、后现代的种种收顶方式，更可以别辟蹊径，完全独创，关键是设计师一定要把握住北京新老市民那贯通的脉搏。在这方面，我建议好生借鉴一下某些中东国家的做法，如阿联酋迪拜的阿拉若卜大饭店，它高达 1050 英尺（约 320 米），建造在离岸边 900 英尺（约 274 米）的人工岛上，非常地"摩天"，它如何与阿拉伯民族的传统相融合呢？设计师完全没有一点生硬采用伊斯兰古典建筑语汇的做法，而是令其通体浑然构成一张天方夜谭式的海船巨帆，令人一望而知这是最现代的，也是最具阿拉伯、伊斯兰风味的，梦幻般的地标。迪拜类似的成功建筑还有很多，基督教文明体现在提升人的生活品质方面的科技精华，与伊斯兰固有精神追求和生活习俗的坚守，得到了非常合宜优美的通盘处理。从迪拜新建筑，联想到这样两句歌词："洋装虽然穿在身，我的心依然是中国心。"北京以及全中国的建筑设计师应该不怕高楼大厦"身穿洋装"，只要能充分体现出融汇于其中的"中国心"，意到神现，就能造出好房子来。

半城宫墙半城树

那年八岁，刚到北京不久，父亲带我去玩，坐的人力车，父亲把我搂坐在他怀中，转过沙滩，接近景山和神武门时，我忽然挣着身子大叫起来："爸！爸！"车夫惊讶地扭回头，父亲则紧紧地把我搂定，都以为我出了什么事。其实，我只是被眼前呈现出的景象惊住了。八岁以前，我一直生活在四川，先在成都后在重庆，到北京的头两个月一直活动在胡同四合院里，那天是父亲头一回带我外出来到北京的宫殿与园林面前，当时我通过视觉所产生出的心理与感情反应是本能的，不能用语言表达，只能是狂热地高叫："爸！爸！"

再后来，少年时期，看到一首吟诵北京的诗，题目和别的内容很快全忘记了，单记得其中的一句"半城宫墙半城树"。这七个字实在传神。我八岁时正是被这七个字所概括的北京之美所震慑。元代以前且不去说，明清两代的北京，其城市之美，从色彩上说，所突出的，就是红·黄·绿，朱红的宫墙，明黄的琉璃瓦，浓绿的松柏及其他树木，在蓝天下绘制出动人心魄的画卷。也许有人会说，不，北京过去围裹它的城墙，以及大片的胡同四合院，其色彩主调是青灰色的。这说法也不错。但城墙好比一本精装书的封面封底和书脊，正文的色彩应该看里面。胡同四合院诚然有着青灰基调的外观，却被巍峨的宫殿坛庙建筑和高大的乔木掩映，而北京城的中轴线上所耸起的若干制高点，如正阳门、天安门、端门、午门、紫禁城三大殿、神武门、景山、鼓楼、钟楼等等，也都突出着红·黄·绿这"三原色"。那时北京的建筑是平面发展，不仅胡同四合院之美要进入其内部朝平面方向欣赏，就是弘大的王府，光从外面看，也不过是青灰的砖墙厚些高些，必须进到里面，才会发现绚丽的色彩、精致的装饰、优雅的生活，原来都包含在了其中。

童年和少年时代，我家住得离隆福寺很近。这是我心中永远屹立的华美事物。我的小说、散文里不知有多少次写到它。现在我再一次写到它，心中仍溶溶漾漾地满是爱恋之情。父亲知道许多关于隆福寺的史料，比如他多次告诉我，寺里的毗卢殿顶部的大藻井，比包括紫禁城养心殿在内的所有京城古建筑的那些藻井都要独特精致，是人类文明的瑰宝。但那时隆福寺已经从庙会场所开始变化为一个"新型市场"，殿堂都成了仓库不对外开放，父亲就始终没有进毗卢殿看藻井的机会，倒是我，用一点零食贿赂了父母在殿堂存货的同学，由他带我偷偷地进去看了那个藻井，那次的生命体验甚至可以说引领着我的一生，我铭心刻骨地意识到，什么是中华文明之美，并为自己是这一文明的后代而自豪。隆福寺和北京的城墙、城楼一样，湮灭于"文化大革命"。城墙与城楼好歹还残存了一点，隆福寺却荡然无存。现在那里有座上世纪90年代翻盖的隆福商厦，在其楼顶盖了一圈象征性的寺殿。把无价之宝的真古董轻易毁掉，又花大价钱大力气来盖假古董，这令我黯然神伤。

　　我当然懂得，时代在变迁，生活在嬗递，同一空间里，会出现新的生命，带来新的欲望，新的趣味，新的创造，因此，旧的东西，包括城市里的旧建筑，有的势必会被改造、淘汰。但这种改造与淘汰，应是一种良性的，更进一步说，也就是更加人道的，更人性化的演进。我有三部长篇小说都以北京的古典建筑命名:《钟鼓楼》、《四牌楼》、《栖凤楼》，这不是偶然的。我总企盼新的生命，新的生活，能根植在传统文明的沃土之中。近二十多年，尤其是近十年，北京城市面貌变化很大。有人说真是非常现代化了。究竟什么是现代化? 是不是就等于西方化、欧美化? 前些天我到机场接来一位朋友，他带着生于加拿大的小儿子，我们从面貌跟西方一般机场别无二致的天竺机场出来，乘出租车沿高速公路前往他们预定的宾馆，那公路也非常地"一体化"，所有标识牌的大小、颜色，上面所绘符号，跟加拿大没有任何差别，而且也都有英文，唯一区别也就是加上了汉字。一路上从车窗看到许多西方式的大楼房。到了那完全西方化的五星级酒店，进了甚至比一般加拿大旅馆更显出"与国际接轨"的标准间，朋友的孩子，也恰好是八岁，大声地叫"爹地，爹地"，神态令我想起八岁时在那人力车上的自己，他是怎样的心理呢? 父亲问他，他倒说出来了:"爹地，我们什么时候到北京? "

　　北京毕竟还是北京。后来我陪朋友父子游北京，在紫禁城、雍和宫、东岳庙、颐和园、长城……他们看到了与加拿大绝对不同的北京。但这许多仍保持着传统北京风貌的地方,仿佛是些钢筋混凝土森林里的绿洲，被"世界一体化"景象围裹的"保留地"。我并不是一个保守的人。对北京的旧城改造，特别是危旧胡同四合院的更新，我并没有站到"一点儿也不能拆"的立场上，我能理解那些危旧房屋里的平民改善居住条件的诉求，也能体谅社会生活组织者面对难题在求证与实践上的艰难；规划部门划定了二十三片胡同四合院为旧城保护区，这很好；在菊儿胡同那样的地方，由建筑大师吴良镛先生以"有机更新"理念主持了四合院改造的试点，联合国教科文组织给予了褒奖，确实算得有益的尝试；近年来，更投资建成了皇城根遗址公园、菖蒲河公园、明城墙遗址公园……作出了将传统的北京与现代的北京加以融通的努力。好处要说好，难处大家想办法。传统的北京也并不拒绝外来的事物，比如北海琼岛顶上的白塔，还有体量比它更粗大的西四白塔寺白塔，就绝非中国传统建筑，那是来自尼泊尔的阿尼哥主持设计建造的，不是早已和谐地融入了北京的城市画卷中，甚至成为亮点了吗？还有清末民初正阳门的改造，东边那座西洋式的火车站，因为在体量和色彩上努力与北京固有的建筑协调，在视觉上绝无"破相"的弊病；再如 1916 年正阳门箭楼的改建，当时请的是德国建筑师罗斯凯格尔（Rothkeger）来主持，他并没有完全依照旧版拷贝，而是变通地加大了体量，增添了之字形阶梯，加了汉白玉护栏，还在楼窗上加了拱弧形罩檐，他还特别在下部侧面墙体上加添了一个巨大的水泥浮雕，那浮雕的样式是从西方文艺复兴建筑的语汇里演化来的，但他弄得与中国古典箭楼的固有风格非常协调，于是不但没有形成破坏，反而使其添彩。我们都知道从上世纪初就有种国产香烟叫"大前门"，那上面的图案从来不变，所画的前门箭楼虽然只是简单的线画，那下面斜壁上的浮雕总是要标识出来。这么多年过去，那浮雕再也不是什么外来的添加物，已经成了老北京的传统性符码了。我举这些例子，是为了说明这样一个观点：北京是完全可以拆旧建新的，问题只在于如何使新旧能在传统中融合。

我曾经参与了中央电视台纪录片组的《一个人与一座城市》的摄制，我诉说的当然是北京，在家里用光盘看样片时，我儿子不禁啧啧赞叹，因为镜头里出现了在地坛拍摄的镜头：蓝天下，朱红的墙体，明黄的琉璃瓦，墙后是波涛般的古柏绿冠……但愿那一刻，他和我一样，也成为珍爱以红·黄·绿"三原色"为象征的，维护北京传统审美意蕴的，那个社会群体中的一员……

玲 珑

北京鼓书的传统段子有《玲珑宝塔十三层》，整个段子有绕口令的性质，把一座十三层的宝塔一层层加以形容，听来耳爽心悦。每次听这个段子，我脑海里就显现出某些曾登临或仰观过的宝塔。有的佛塔，未必有多高，底座也未必有多宽阔，但给人的印象，绝无玲珑感。有的佛塔颇高，底座也颇宽阔，属于大体量的建筑，却能给人以玲珑的印象。开封铁塔就是一例。当然，这主要是塔的高度与圆锥形底面周长的比例较大所致。但问题也并不那么简单。北京广安门外的天宁寺塔，其高度与底座周长未必多么悬殊，远望过去，与开封铁塔全然异趣。倘若说开封铁塔会引出"楚王爱细腰"的谐谑，那么，北京天宁寺塔可能反会派生出"唐妇腴为美"的幽默。天宁寺塔玲珑不玲珑呢？欣赏一座建筑，也是仁者见仁，智者见智。所谓印象，虽因客体刺激而生，毕竟是主观上的产物；但若能把主观上的印象之所以产生说出个道道来，即使是外行话，也许还是对建筑师们多少有些个参考价值吧。我想说的是，在我眼里，体态丰腴的北京天宁寺塔，也有一种玲珑感。这玲珑感的产生，不是像开封铁塔那样，基于塔体的苗条，而是因为设计它的建筑师，在塔体各层密檐的布局上，善于化解其塔体的丰腴，那些精美绝伦的翘角密檐，不是均匀地、机械地分布在塔体上，而是极富韵律地、灵动地，仿佛祥云呵护般地，环绕着那巍峨的塔体，因而我在审美过程中，竟对这并不苗条的建筑，产生出了玲珑感。这就不能不赞叹我们中国前辈建筑师的创美工力。不要以为，玲珑仅仅是胡同民宅或园林小品的属性，我们中国前辈建筑师在宫室神坛的设计中，也不是一味地雄浑肃穆，像基本完整保留至今的北京紫禁城，那四个角楼的设计，显然就是刻意要以玲珑的美学意趣，来为紫禁城那中和韶乐般的主旋律，通过"配器"来增添一些柔美缱绻的味道。

　　最近有朋友从上海回来，盛赞上海浦东的金茂大厦，说是那么雄伟的摩天楼，望去却并无"粗壮大汉"压人一头的霸气，感觉上，是亲切的，甚至有美女亭亭玉立满面春风的感觉。这其实也就是产生出了一种可称之为玲珑的印象。我到目前为止还没机会亲临现场目击身受金茂大厦的花容月貌，但看到过它的不少玉照，我的第一印象也是觉得它既雄伟又玲珑。在设计构思上，我觉得它和马来西亚吉隆坡的佩特罗纳斯大厦有相同之处，就是在整体造型上追求笋形效果。笋形是包含着玲珑感的。佩特罗纳斯大厦是双塔并立，造型上更接近幼笋的形态；金茂大厦是单体崛起，它若也取幼笋状，那就可能会失却雄伟感了，我从照片和电视镜头上欣赏它，觉得它是给我一种笋与竹之间的跃动感，它那楼体周遭的细部处理，很有些个笋皮绽破新竹拔节的气势。我们细想一下，中国乡野山峦的毛竹，可以长得很粗很高，其摩天气概丝毫不让松柏樟榉等乔木，但它那节节拔升与枝叶纷披的体态，却又格外地玲珑秀美，不知金茂大厦的设计构思灵感，有无中国毛竹的触动？

　　玲珑当然不是任何建筑都必须具有的意趣。有时为了保证宏大的叙事结构与雄浑静穆的升华效应，还必须刻意摒除玲珑纤秀的笔触和凡俗琐屑的联想。北京的新建筑常常遭到苛评，摇头的多拊掌的少，或者让人觉得玲珑得失却了威严，或者让人觉得威严得失却了灵气。我想这恐怕也是因为北京有北京的难处，比如限高问题，为维护古都风貌，二环路内严格限高，二环路外逐环放宽高度，这样二环内的新建筑就只能往横宽上做文章，一栋栋仿佛"麦当劳"的"巨无霸"；而逐环放宽高度的结果，是鲜有发展商愿意自动放弃所容许的高度，结果逐步使整个北京城构成了一只"巨盆"。再比如，长安街很直，两侧建筑很难打破"排排坐，吃果果"的格局，加上相邻的建筑很可能属于不同的"根"，是在各不相干的情况下"栽"出来的，结果就出现了排列方式单调而互相又不能整合的弊病。这已经不是什么雄浑与玲珑的问题了，应该做专门的通盘研究。

剔 透

　　与"玲珑"相连属的审美考语是"剔透"。所谓"玲珑剔透"，常常首先用来形容中国园林里的叠石。叠石的材料最好是太湖石，其上品需符合"瘦、皱、透、漏"四个条件。中国传统建筑的廊檐栏柱，特别是室内的装饰性部件，也特别讲究玲珑剔透的美学效果。中国传统建筑大量使用木料，门窗几乎都是木质的；在南方，墙体可以单薄，瓦顶也可以不那么厚重；这都有利于出玲珑剔透的效果。当然宫室神坛和大型的寺观建筑可能在总体风格上排除玲珑剔透，以免显得轻薄儇佻；不过在细部上，也还是可能启用玲珑剔透的部件，北京紫禁城里那发生过许多泼天大事，可谓当年最严肃的政治空间，鼎鼎有名的养心殿，其内部设置就既有玲珑感，也有剔透趣。

　　现在专门说说"剔透"的美学意趣。中国的传统建筑，很讲究室内与室外的通透感。这当然首先体现在对窗户的理解上。我曾写过《窗内窗外》一文，大意是说中国古典建筑中，往往把窗户当做一个画框，即使那窗外并无自然风光，也要在窗外空间布置出一个盆景般的"拟自然"来；而西洋建筑多半只注意如何使窗户充分发挥采光、换气等功能。这个观点当然还要坚持。西方名著里有一部叫《看得见风景的房间》，还拍成了电影，似乎于他们而言，开窗可以看见风景，是一种意外之喜。其实，就中国传统建筑而言，正常的房间当然都应看得到风景，这本是不待言的，绝不令人惊羡。倘要让人产生悬念，写一本小说叫做《看不见风景的房间》，可能更为合宜。

　　现在我要补充的是，在中国传统建筑里，窗的作用还并不仅是画框。窗是室内的人与室外的世界沟通，并融为一体的重要通道。当然，还不仅是窗、门，以及廊、棚、栏、栅，虽然在空间的切割上各有其独特的功能性考虑，"各司其职"，但它们都尽可能"剔透"，尤其在春、夏、秋三季，将其完全封闭起来的情况基本上是没有的。窗、门或许会设置帘幔，但那帘子往往会是竹蔑制的，不仅透气，而且"透景"。因此中国古诗词里有"一帘（繁体字应是竹字头下面一个"廉"字）春雨"的吟唱；而纱制窗帘也往往是透明度很高的，如《红楼梦》里写到的"霞影纱"和"软烟罗"，它们并不将窗外景物全然遮蔽，而是"剔透"得令人随时心醉。中国古典诗词里有无数表达个体生命在窗门内与窗门外的大自然以及人间烟火相融合的句子："山色满楼春雨后，一帘风絮卷春归"，"升堂出街新雨足，芭蕉叶大支子肥"，"南窗一枕睡初觉，蝴蝶满园如雪飞"，"红楼隔雨相望冷，珠箔飘灯独自归"……也不仅是视觉上的"内外勾连"，更撩拨心弦的也许是听觉所引领出的感受："小楼一夜听春雨，深巷明朝卖杏花"，"梦觉隔窗残月尽，五更春鸟满山啼"，"枕上诗篇闲处好，门前风景雨来佳"，"今夜偏知春气暖，虫声新透绿窗纱"，"霞绡云幄任铺陈，隔巷蟆更听未真"，"夜深风竹敲秋韵……"，"柴门闻犬吠，风雪夜归人"……真是一年四季，室内与室外都是"剔透"的。切莫把这些天籁人情的意境，理解成是因为那时的建筑技术无法解决隔音的问题，"歪打正着"派生出来的。讲究把建筑物剔透得与自然的气流、气味，市井的声音、人气贯通融合，这一中国古典建筑美学的传统应当得到继承与发扬。

在全球一体化的浪潮里，西方的建筑理念、美学趣味浸淫到我们这样的东方国家，从中汲取其可以融化的营养，是有助于发展我们的新兴建筑业的；但新型建筑材料的推广，新建筑技术的普及，连带着某些似乎是难以避免的生活方式的推行——如全封闭式的"智能式建筑"，它里面的气候是人造的，活动空间是绝对与"外面"隔绝的，往往那建筑物外面大雷大雨，而里面的人却毫无感觉。那是绝不"剔透"的。当然，那样的西方建筑里可能也会有一部分房间可以鸟瞰外面的世界。我就曾在美国纽约曼哈顿进入过那样的摩天大楼，它的一整面墙几乎都以落地玻璃窗构成，倒是很透明,窗外是钢铁、玻璃、石材与种种合成材料构成的"人造森林"。给我的感觉是,那落地窗的设置不仅不是为了让室内的人与室外的自然和人间沟通、亲和,反而是为了炫示高度工业化以及高科技对自然与俗世可以率性支配的一股旺健的霸气。当然,那也是一种风格。也不能说在多元的建筑美学趣味里,那就一定是不好的。但当这种西方建筑美学趣味处于强势时,强调一下我们民族自己建筑美学里的好东西,恐怕也是必要的。其实,古典和现代,东方和西方,凡人类创造的文明成果,都应是当代建筑师们取法的共享资源。灵活运用,东西合璧,相得益彰的例子,在北京就有,比如在西长安街复兴门内南侧的中国工商银行大楼,它的进口处就使用钢材和玻璃等新型材料,组合成了一个颇有人情味的"剔透"空间,给人以梳风栉云的诗意联想。愿这样大体量、新材料组合的新建筑里,能在设计构思中有更多更巧的"剔透"式"乐句"。

跃 动

"勾心斗角"现在是个涉及人际关系的贬义词。其实它原是唐代杜牧在《阿房宫赋》里,用来赞美楼体互相巧妙勾连、檐角争奇斗妍的褒义词。杜牧可谓我们民族建筑评论的老祖宗,他这"勾心斗角"一词充满了跃动感。其他许多的老祖宗在文章里涉及建筑物时,也常体现出以跃动感为美的审美趣味。比如宋代欧阳修的《醉翁亭记》,寥寥"有亭翼然"四个字,立即使我们觉得眼前有个亭子似乎要把它那翘角顶当做翅膀扇动而去。苏轼形容不过是用土筑成，仅出于屋檐而止的一个凌虚台，"人之至于其上者，恍然不知其台之高，而以为山之踊跃奋迅而出也"，也着眼于跃动感。到清代曹雪芹，他杜撰了一个大观园，也使用了"飞楼插空"的词语。

其实使建筑物产生出跃动感，是中外古今流传颇广的一种美学追求。西欧古典建筑中的哥特式风尚，那使立面线条努力向上蹿升，在顶部耸起尖塔，固然是基于欲与上帝天国沟通的一片虔诚，有其宗教意识形态的大前提，但从形式美角度上考察，也确实使建筑物产生出了一种勃勃向上的跃动感，是爽目润心的。有的哥特式建筑，如巴黎圣母院，不仅其尖拱顶塔仿若航船上的望楼桅杆，富于动感，那两侧的几道肋骨般的飞扶壁，本是基于结构力学的考虑，用以支撑庞大而沉重的墙体的，却也从形态上令人联想到鼓起风帆离港开航的巨轮上那飞扬的彩带，所以巴黎圣母院隔着塞纳河从侧面望去，尤有劈波而去的生动气势。世界进入工业文明以后，近现代建筑中，巴黎铁塔又是一次跃动美的大展示，分明是最沉重的钢铁，却因"人"字形蹿升的流线与剔透的网状结构而顿生轻盈摩天的欢悦感。

20世纪以降，建筑美学的流派急速走向多元，跃动感在许多流派中不占地位，甚至遭到刻意摒弃，有的建筑师追求建筑物像磐石般稳定的意趣，有的甚至追求朝地底下扎进的"落实感"。即使是体瘦高拔的摩天楼，也并不使其"翼然"、"跃然"，如加拿大多伦多市政厅（两个圆弧形的楼体"相对而嘻"），美国桃树中心广场旅馆（造型仿佛一只竖立起来的巧克力糖果盒），当然更有法国蓬皮杜文化中心（赤裸地静止着）和日本东京国家剧院（横向浮搁恍若古琴）那样的一些简直是"反跃动"式的诡奇之作。这是因为人类变得稳重了吗？

虽然跃动感的美学追求在建筑设计中已非普遍适用的趣味，但这毕竟仍然还是一种具有长久生命力的古典趣味，而且，即使在总体是非跃动的造型里，细部也仍可用跃动的线条来丰富其"文本"的语汇。如美国纽约的世界贸易中心，那双方塔的造型墩实厚重,顶部绝不攒尖蹿升,充溢着稳定感而难以产生出"身有彩凤双飞翼"的跃动感;但这只是远望的总体感受,倘你走近它的楼体,进入高敞的大堂,你就会发现,设计师在它的底部,配置了一整排音叉状的尖璇形支撑柱,这些高耸的柱体所构成的线条,非常强烈地派生出了一种奋力托举的跃动感。这是否是"静中有动,动中有静"的一个美学范例?遗憾的是,恐怖分子制造的"9·11"事件,使得这一建筑杰作永远地消失在了我们的视线之外。

从"动"、"静"角度考虑建筑物的美学效果,只是一个方面罢了,我们需要总结的建筑艺术的经验教训实在是非常丰富。我有一个感觉,不知道对不对,现在冒昧地提出来:我们的建筑界的眼光,似乎还不是非常开阔,拿借鉴国外的新建筑成果来说,比较集中在美国、西欧和日本的种种潮流、派别;有的地域和民族,他们其实在新建筑的美学开拓上,已经取得了长足的进步,而我们却比较忽略,例如西亚一些国家,他们不仅是单栋的建筑物往往极富民族特色极有创意,而且在建筑与环境,与人,与社会,还有他们特有的宗教信仰诸方面,都创造出了十分璀璨的景观。我曾在阿联酋的迪拜有短暂的停留,那机场候机楼的独特造型,整个社区绿化带的布局,以及对那地方本来是极珍贵的水的景观运用,都令人耳目一新。另外如拉丁美洲的建筑,特别是巴西首都巴西利亚的总体规划与统一的美学风格,都值得作专门的研究。这是我思路的"跃动"。就创新促奇而言,跃动是永远需要的吧。

洁 爽

我要坦率地说出自己这样的感受：我们一些大型的公共建筑，看上去很不洁爽。我不说"清爽"而冒生造之谴说"洁爽"，是因为觉得唯有这样说，才能充分、准确地表达我对建筑美的一种诉求。"清爽"当然也是我喜欢的一种面貌，但它的含义里突出的是"干净利落"；说"洁爽"，则似乎可以蕴含更多审美上的，从视觉到心理的快感。

建筑物不洁爽，有时不是设计上的问题，而是施工的问题。1999 年国庆节前，北京东长安街的东方广场外装修完成，这座在动工前便成为京城热门话题的庞然大物一旦露出庐山真面，自然引起了广大市民的浓厚兴趣，虽然一时还不能进入内部，但在那外面的广场与步行道上走走，观望一番这组建筑物的雄姿，也算共享了盛世繁华吧。入夜，东方广场顶部的灯光造型全部开放，离它较远的人们也能欣赏到它的轮廓线。这里且不从审美角度去评价东方广场在设计上的得失，也不拟全面评说其施工的水平，只说一点——它那前庭上的一系列喷水池。有数个水池在开放时总要把大量的水喷至池外，弄得供人们穿行的地面上废水横溢，我在那期间几次去那里观望，每次都会遇到怨声不绝的路人，他们本是乘兴而来，要一睹东方广场的"明珠"光彩，却因这一施工上的疏漏而大败其兴。大型建筑物所配置的喷水设施，有的是刻意要让欣赏者能直接嬉水，有的池水分层下泄，直达地平面，但那都一定会以精心的设计和施工来保证达到预期的效果，比如会给泄至地面的水流特设泄水孔隙和地下管道，将其回收循环使用。东方广场的喷水设施明显不是这样的创意，它喷出的水是不该外泄的。也许有人会说，那是因为喷水龙头还没有调整好呢。没调整好怎能一再向公众展示？再说，投资代价这样巨大的建筑群，简单的喷水池怎么都不能建造得一步到位？我想那不会是技术水平的问题，而反映出我们一些施工部门某些环节上的人士，他们首先就缺乏把建筑项目当做艺术创造来看待的审美意识，尤其轻视某些细部，轻视大主体与小配置的精密契合，更轻视所施工的建筑与周遭环境的和谐。在中国，一个华丽的建筑耸起以后，它的侧面或背后会在很长时间里堆放着一些剩余建材，甚至土方垃圾，丑陋刺目。这问题往往牵扯到几个方面，是经济利益及官僚体制等许多因素在作怪。但不管怎么说，我们应当扪心自问：国人啊，咱们为什么不能过得更好一点？为什么不能把求美之心，提升得更高一点？为什么不能把事情办得更洁爽一点？

好的建筑设计，要真正成为大地上的一道靓景，施工水平至为要紧。我们的一些大型公共建筑，在建筑美学的创意上，设计水平上，与发达国家的水平差距并没有多大，但施工水平的差距，却往往一眼即可看出——精确度、平整度、密合度、光洁度、材料质感……这里欠缺一点，那里出点纰漏，总之，用我的话来说，就是不洁爽。因而，虽然是踮起脚尖猛跑，追求"现代大都会气派"的劲头十足，实际效果却还是显得土气——却又并非田园气息，而有点像乡下姑娘学城里靓女的穿戴打扮，色彩不准，细节不对，闹了个令人忍俊不禁。

当然，还有个建筑材料的质量问题。现在北京地区的一般民居，在窗框材料的选择上，已经由木料、钢铁，转为了铝合金和"塑钢"，特别是"塑钢"近来大行其道，就连旧房新装修，"塑钢"也是最时髦的东西。我并不反对"塑钢"窗材的使用，但我发现，有很多新的"塑钢"窗体，都是还没有揭开其外面印着商标的包装纸就安装了上去，而且直到完工甚至使用后也一任其状，是那房主在追求一种"奇趣"么？显然不是。这里当然有施工不仔细的问题，但我向一些施工者询问，他们回答我说，那是因为剥离那用不干胶黏定的包装纸非常麻烦，常常不能完全剥离，弄得更加破相，所以他们也就干脆不去剥离那包装纸了。这就是厂家在生产上存在的质量问题。

为什么不把去除包装这个环节弄洁爽呢？现在这样的带包装纸的"塑钢"窗在北京随处可见，往往是，那新楼"西服革履"，甚至某些装饰部件也堪以"项链"、"戒指"作比，但却镶嵌着些不能剥去包装纸的"塑钢"窗，给人一种油头粉面却满嘴烟牙的印象。

但是建筑物不洁爽，也不能都一股脑推到施工部门和建材生产的质量问题上去，根子往往还是在设计者那里。不洁爽的设计，会导致这样的结果：施工方面越是中规中矩地严格达标，所使用的建筑材料越是品质到位，其建筑美学上的整体缺陷便越暴露无遗。

什么是不洁爽的美学面貌呢？可以先从明清家具设计的对比谈起。我们都喜欢明代的家具，从贵族家庭到一般小家小户的家具，明代家具大都给人以洁爽的审美感受，它们线条利落，风格明快，构件不多不少恰到好处，而且通体往往洋溢着一种灵动的气势，看到它们便能联想起或温馨或高雅的俗世生活。但清代的家具总体而言却风格大变，从富贵人家到一般市民家庭，床机桌椅都往笨重、雕琢、构件复杂、细部琐碎的方向上发展，看上去令人觉得矫情、沉闷，尤其到了晚清，穷人的用品粗陋不堪，富人的用品繁缛不堪，家具如是，许多工艺品也如是，灵气消减，奢靡浑浊，就算那也是一种美吧，却只能名之曰病态美。再看园林，像苏州拙政园，是明代打下的底子，清代曾被太平天国当做忠王府，倒没怎么大增大添，至今整个风格还大体上洁爽，布局疏密得体，浓淡相宜。可是狮子林就不同了，这座园林元代就有，之所以命名为狮子林，原是为了纪念在天目山狮子峰住过的中峰和尚，到晚清以至民国初期，园林主人追求让大大小小的山石皆像狮子，大肆堆砌，叠床架屋，使里面真成了森然密布石狮的王国，搞得淤塞满闷，而那正是晚清民初的一种审美时尚。我们还可以比较一下明十三陵和清代在北京南面所建的东陵与西陵，后者比前者保存得更完整，施工似乎更细致讲究。但无论是神道边的石像生，还是陵内的石雕，却都匠气十足，木然呆板，是些应予保护的文物却并非值得欣赏的艺术品。当然清代也不是没有好的个案，像天坛祈年殿火灾后的重建，设计与施工都极好；再如颐和园的十七孔桥和龙王庙，昆明湖畔知春亭，万寿山下长廊，山上佛香阁，设计上都富创意，可谓洁爽优雅；但佛香阁下方半山上的铜亭等一组建筑，也犯了堆砌壅塞挤作一团的毛病。也许，那是因为中国的传统文化发展到那个阶段，已达于烂熟的地步，活力耗尽了吧！

　　洁爽的美学意趣是不是一定表现为简洁明快，是不是包豪斯学派那样的建筑，或直接诉诸功能性的建筑，或立面素净色彩柔和的建筑，就一定是洁爽的，而后现代的拼贴式手法的建筑，吸收了中国古典华丽风格以及西方古典中的巴洛克、洛可可风格的建筑，或墨西哥城的那种以大面积色彩艳丽的镶嵌式壁画装饰的公众建筑，就不洁爽了呢？我当然不是那样的意思。概括起来说，我企盼的洁爽就是设计上删尽多余枝蔓、施工上无懈可击、材料上处处到位，并与周遭环境相配，完成后能令人眼睛一亮，禁不住伸出拇指由衷地夸赞："真棒！真爽！"那样的建筑。

说门槛

　　和一位朋友见面，提及一位我们都认识的人，问最近见着没有，他摇摇头说："啊呀，如今他那门槛高啦……"

　　其实，被他称为"如今门槛高"的人士，无论是上班的地方还是自家的住所，出来进去的那些门，几乎都根本没有物质意义上的门槛了。

门槛，是建筑物的一个构件。在中国，近代以前的建筑，从豪华的宫室到简陋的农村居舍，凡门几乎都有门槛。中国过去的门，门体大都是从中间开合的门扇，门扇是以上下两个圆轴固定在门框内的轴槽内的，因此门扇的长度总会比门框的长度上下都少掉一些，上面所少掉的部分，可以用门框上部的构件加以掩饰，下面的部分呢，如果不装置门槛，那么不仅会露出一条缝儿，影响到关门时的功能发挥，也极不美观。

由于门大小有别，门槛的大小差异也很大。我童年时代来到北京时，北京的城门楼子还没有被拆掉，而且有相当一些个瓮城的箭楼，其门洞并不与交通道相通，不过车马，所以就还保持着门槛。那门槛真是非常的高大粗壮，成年人完全可以拿它当长凳坐着晒太阳、聊闲篇，儿童们则可以把它看做是一道堤坝，在上面跑过来蹦过去地玩耍。有的门洞被当做通行道了，但门槛也还在，只不过不放置在应有位置上了——那巨大的门槛和硕大的门杠一样，是活动的，可以安上也可以拆走——它被闲置在了门洞的一侧，另一侧则是被闲置的门杠（它是用来在城门紧闭后，从里面正中横亘着起锁固作用的部件）；我记得门槛与门杠形态虽然接近，却是很容易识别清楚的，因为门杠的"待遇"比门槛要好，它被闲置时，其两端是被搁放在专为它定做的有凹槽的石座子上的。古代的城门必要时需让车辆、马队经过，因此那门槛是活动的，但宫殿里的门槛，比如现在我们还可以看到的紫禁城建筑群的门槛，就几乎都是嵌死了的，因为在那些空间里是不许车辆马匹等通行的。

直到近代，中国人活动的建筑物里，门越阔大，门槛也便越高。城门、宫室的门槛不消说了，衙门口的门槛，那也是相当气派的，衙门的大小，与其门槛的高矮，是成正比的。豪富人家的大门，门槛也不仅是作为一个功能性的构件而存在的，它也成为了里面主人社会地位及其威严与财富的象征。人们使用"门槛高"或"高门槛"

的语汇时，往往已经不是在表述一个建筑构件，而是在感叹使用那一构件的人士所拥有的权势了。

但中国式的门扇下面的那道门槛，随着社会生活的发展，越来越显得碍事。辛亥革命以后，优待满清王室，还允许废帝溥仪住在紫禁城里面，那时他学会了骑自行车，可是宫殿里不仅屋子有门槛，那些穿堂门也都有门槛，他在庭院里要穿过那些门楼，门槛成为障碍，于是他下令让太监们给拆掉，一时拆不掉，就把那门槛从当中豁开一个口子，以便他骑车时能顺利通过。据说后来溥仪被驱逐出宫，紫禁城改为故宫博物院后，还不得不拨款修复那些被毁坏的门槛。

迈进门槛，迈出门槛，在以往的中国文化中获得了特殊的内涵。《红楼梦》里出家的妙玉自称"槛外人"，以示清高，贾宝玉则自称"槛内人"，以表谦让；又引宋代范石湖的两句诗"纵有千年铁门槛，终须一个土馒头"（"土馒头"指坟墓）来表达一种对人生的憬悟。

当代新建筑，门槛不仅被淡化，而且往往干脆被取消了。比如现在的大饭店，其大门可能有风雨廊，有旋转门，有自动扉，构件相当丰富，却并无门槛的设置。如今人们在生活里也很少再有迈门槛的动作。有门槛的建筑如果不是古迹或刻意追求一种趣味，那就是陈旧的城市民居或简陋的村舍，住在那里面的人们绝大多数都企盼着能早日搬迁到没有门槛的楼房里去。

但积淀在人们意识深处的那无形的门槛，似乎一下子还很难消失。什么时候"门槛高"之类的议论只偶然地出现在老人口中，中年人已经不大懂得其构件名称以外的含义，而年轻一代简直不知那是何意，整个社会，也就可以说终于迈出旧文化的那道门槛了吧！

话说承重墙

一位老相识非要我去他家小聚，去了，才发现他家已然装修一新。最大的"手笔"，是把门厅与相连的那间屋打通了，展现出了一个很大的起居室。空间大了，于是得以布置出了"家庭影院"，并请来了很宽大的进口沙发，和直径达到 1.5 米的玻璃茶几，一角摆放的大桶凤尾竹，也便绝不显得壅塞堆砌。说实在的，这样的厅堂与气派，着实令我艳羡不已。

然而闲聊中，他坦陈所拆掉的那堵墙，是承重墙，这引起了我的不安。我问："会不会出危险呢？"他笑着摇头道："哪里有那么多的危险！我们这楼里，起码三分之一的人家都把这让人气闷的墙体拆掉了。你看，我们不是都过得好好的吗？"我提及报上所刊出的一些关于拆除承重墙的危害的文章，他未等我说完便反问："是哇，道理是那样，可是你究竟听说哪儿的楼房因为有人拆了点承重墙，便真的轰然倒塌了呢？"我想了想，也许那是因为拆除承重墙以扩大空间的装修方式，是近几年才热起来的花样，而凡原建筑质量不错的楼房，对拆除承重墙所带来的超负荷恶性效应，一时还都不至于爆发出来吧。

我又问他："不是现在搞装修，都要跟有关部门申请吗？不是一律不批准拆承重墙的装修方案了吗？"他耸耸肩，同时耸耸眉，怪样地望着我，那意思是：怎么，你真的不明白？如今往往是规定归规定，而实际上……他简要地张口告诉我："我是获得了装修准许的呀！"他那笑眯眼的表情，已令我洞若观火。我听了心里有点疙疙瘩瘩。是不是我这人太古板了呢？

小聚毕——实际上是主人带我参观了他家全部装修成果，并招待了饮料后，我告辞时，他搂着我肩膀，再次让我欣赏他那扩展了的厅堂，并在送我出门时拍着我肩膀说："你呀，要怪就该怪这楼房的设计者，他凭什么把门厅设计得这么小啊？……为了展拓自我的生存空间，管它承重不承重，这堵心的墙就该先拆了它再说！……"

我几乎已被他说服了，谁知他却画蛇添足起来："……你呀你呀……最近看到你新的小说……那么沉重干什么啊！……那些承重墙，拆了算啦！……哈哈哈哈……"分手时我没说什么。然而回家的路上我想，如果把文学创作比做盖楼，尽可能少些个"承重墙"而多些个宽敞阔朗的空间，令人感到舒适有趣，不消说是很好的方案；设置过多的"承重墙"因而令进入者气闷，恐怕确是很难成为好的作品；但是一旦设置出了"承重墙"，并且是非有不可的"承重墙"，那么，就一定不要徒然为了轻松，而冒险将其拆除。我自忖并不是一个观念狭隘的人，文学的房屋原可多种多样，使用空间里不设任何承重墙隔断的建筑不仅可以是"快餐"式的简易房，也可能是耗费巨资的体育馆。但不管怎么说，总也有些文学房屋是其使用空间中也有承重墙的。文学房屋中的承重墙，也便是深沉的主题，使阅读者必得在有趣中也动些脑筋，在形象化的想象空间里也融入一些哲理思绪，这样的承重墙一旦形成，那确实不能将其拆卸。

其实不搞文学的人，也应重视必要的承重功能。我们的身体，必得有刚强的脊椎承重，我们美丽的肌肤都是有赖其支撑才光艳照人的。我们的心灵呢？净是沉重的东西淤塞着固然很糟，完全没有或过分缺乏"承重墙"，那恐怕是也不行的。

不要拆除承重墙！

片瓦无存

这本是形容建筑物消失殆尽的语汇，现在我却用来表达对一栋新落成的大体量建筑的感叹。这栋商用巨厦，墙、窗、门、栅、阶、廊种种习见元素很容易指认，但是却绝对觅不出瓦这一元素，它的顶部是整体结构，傲指蓝天。

中国传统建筑，瓦是至关重要的部件。瓦的最大功能是覆盖屋顶。明、清时代，北京的皇权建筑、神坛建筑，以及分布各省各地的"敕建"寺庙等，顶部都使用琉璃瓦，讲究的连围墙上也覆盖琉璃瓦，专供皇帝享受的用黄琉璃瓦，其余按其性质或等级用蓝、绿、黑、赭等颜色的琉璃瓦，有的还一顶兼用几色，构成各种图案。琉璃瓦的顶子不论是歇山式、庑殿式、攒尖式或别的什么样式，都会与琉璃的脊背吻合，并与宝顶、脊角、檐兽等同样是琉璃制品的构件整合为气派非凡的视觉冲击力。近几十年来中国的新建筑，设计者为了体现出与民族传统的承继关系，常常使用"亭子顶"，而且也大量使用琉璃材料，也不能说没有成功的例子，但是，为人诟病者渐多，特别是近十几年来，这样用琉璃瓦搞"亭子顶"甚至已达到令公众生厌的地步。这些"亭子顶"又多半缺乏功能性，造成资金的浪费，开发商从效益上也对之敬谢不敏。于是，"片瓦无存"，完全不使用琉璃部件或其他瓦材的新楼近些年越来越多。

不使用琉璃瓦，也不使用任何其他材料作瓦，干脆说那建筑就没有传统意义上的屋顶——传统屋顶绝大多数都有坡度，完全平顶是例外——加以整体使用的几乎全是传统建筑中不可能有的新型合成材料，现在的许多新楼，被指认为"全盘西化"了。其实，西方传统建筑，何尝没有大量覆瓦的顶子，只是洋瓦与中国瓦有所不同。我初中上的是北京21中，原是一所教会学校，叫崇实中学。当时的校舍，是西洋式的楼房，其中一座顶部还有钟楼，其顶部富于变化，或尖拱，或缓坡，都覆盖着灰色的石片瓦，后来因为那楼老朽，被拆除，拆下的石瓦片堆积如丘。我记得那时看热闹，翻弄那些石瓦片，有的上面还嵌着植物或动物的化石，那些石瓦片体积比一般的中国瓦小，而且是平的，长方形。后来有机会出国，发现西欧许多古老一点的建筑都使用这种石片瓦。当然，后来西式烧制的平直带棱的红瓦（一般民众就将其叫做"洋瓦"）在中国也流行开来，还有石棉瓦什么的，只是，似乎都是些便宜货色。西方现代派建筑兴起以后，顶部才多不用瓦了。

　　动不动就把一种事物说成是一种文化，已经令许多人蹙眉，但我冷静下来细思之后，却还是要这样说：瓦也是一种文化，而且不同民族不同地域的瓦文化各有特色。就中国瓦而言，最令我感到亲切的，还不是上面提到的琉璃瓦，而是普通的微拱形的青灰瓦。这是传统民居大量使用的瓦。北京胡同四合院建筑的特殊情调，屋廊顶部的青瓦是重要的音符。当然细分起来，青瓦的形态、种类又有所不同，讲究的要在部分房舍使用筒子瓦。南方民居的青瓦与北京四合院的屋瓦又有微妙的差别。在江南民居、园林里，青瓦不仅用来覆顶，还大量用来装饰墙体，有的隔墙不仅顶部饰瓦，墙体当中很大一部分通透结构用青瓦巧妙旋转嵌砌而成，往往还组成吉祥图案，令人充分感受到瓦的魅力。中国文物里有一个重要的门类是瓦当。瓦当是屋瓦最下部构成檐的"尾瓦"，讲究点的在"尾"上雕塑出各种图案，那可确确实实是文化，需要认读，其中蕴涵着丰富的内容。但随着旧民居的拆改，各地的新民居很少再使用传统青瓦，农村里盖新房，也喜欢用钢筋水泥的预制板搭平顶，若盖坡顶，则用大片带棱的水泥"洋瓦"；城市里则更时兴"片瓦无存"的"整体封顶"的建筑形式，传统青瓦不仅罕被采用，甚至连有没有生产，也都成了问题。瓦当这种玩意儿，只存在于古玩收藏者或古玩市场的狭小空间中。中国瓦文化的这一分支的濒临灭绝，令人扼腕。

有人跟我说，传统青瓦与传统青砖一样，要使用大量泥土，而且基本上是手工业生产方式，浪费资源，形态落后，使用起来费工费时，远不如新型的建筑构件那么使用方便又富有时代特征。这当然也是一方面的道理。但是从两个小例子可以透视时尚：若干讲究品位的城市居民，选购了完全不用砖头的整体用预制件拼合的摩登楼盘，但他们在装修时，却偏要在起居室贴画出一面红砖墙来，以慰怀旧之情；某些在极为现代化的大楼里营业的餐厅茶寮，却偏要用些青瓦土墙，配合些蓑笠、蒜辫，来装点出乡野情趣——这说明现代与传统，当下与逝波，在人们心灵深处，其实是切割不断，交融衍进的。因之，对中国传统瓦文化的延续，我又恢复了一些信心。我相信，不仅琉璃瓦，包括民居青瓦在内的中国瓦，作为一种韵味元素，是不会被设计师们一概摒弃的，他们仍会在某些情况下，恰当地利用这一元素，来使其作品增辉。片瓦无存只是现代建筑中的一个流派，而不会是全部现象。瓦的精魂，将久远地萦回于大地之上。

砖入历史

金秋时节，北京东便门与崇文门之间，建成了明城墙遗址公园。那个空间里原来是些乱糟糟的陈旧民房，以及一些更陈旧的城墙残段。明成祖时定型并一直保留到上世纪六七十年代的北京城的城墙与城门楼子及相关建筑的几被完全拆毁，至今仍是一个提起来便令人痛心的话题。到上世纪末，北京幸存的城楼只有前门（正阳门）

及其箭楼，德胜门箭楼和东便门角楼，这寥寥四个。幸存的城墙更其稀少，也就是东便门角楼下，还有西便门原址等处，修复了一些片断。北京东火车站后身，也就是上面所说的东便门与崇文门之间的那段并非有意保留，而是当时因为拆毁起来会十分麻烦。破旧城墙，随着新世纪的来临，在社会普遍意识到北京城墙的湮灭是一项文化灾难的氛围里，一下子成了不仅北京人视为珍宝，国人乃至整个人类都达成必须妥善加以保护的共识的超级文物。于是，北京市政府投入了大量资金，北京市民掀起了捐献散落古城砖的运动，文物专家、园林专家等有关专业人士奉献出聪明才智，当然更有古建工人及其他人士的辛勤工作，终于有了现在展现于世人眼前的，既古香古色又与周遭城市新貌相谐互补的明城墙遗址公园。

细看明城墙遗址上的那些古砖，我们可以感受到，砖，这个建筑构件在中国传统建筑里占有多么重要的分量。当然，在北京八达岭以及其他相关的长城遗址那里，这种对砖的敬畏感会更加浓酽。我们爱用"一砖一瓦"来比喻紧密相连的同胞关系，我们高唱国歌里"用我们的血肉筑成我们新的长城"的词句时，会产生自己的身躯就是民族的一块城砖的感觉。

在中国传统建筑里，讲究一点的砖制作十分精细，从选料到烧制，以及烧完后的打磨，每个环节里都融注入人们对这一建筑构件的高度重视。而用砖砌墙时，讲究的使用黏合剂时会不惜工本，据说北京明城墙的黏合剂里就使用了糯米粥。北京胡同四合院里稍微讲究些的房屋墙体，也都是水磨青砖严丝合缝地砌成。在中国，大江南北、中岳东西，尽管传统房屋的基本构件里会有若干就地取材的不同成分（如有的地方大量用竹，有的地方大量用天然石料或现成黄土），但烧制砖的使用应该说是无处不在的。砖不仅具有最充分的功能性，也是重要的装饰部件。从古代一直到上个世纪初，砖雕艺术是中国建筑艺术里非常重要的一个分支，保留至今的那些砖雕精品仍会令我们的审美情绪卷起阵阵波澜。

　　但是，砖在当下建筑业里的地位急剧下滑，其命运比传统瓦更为凄凉。传统瓦里的琉璃类多少还保持着一些备选的荣幸，而传统砖里即使是水磨青砖，现在也越来越罕见于城市新建筑的材料清单之内（除非是古建筑修复工程）。上世纪末还有些城市新建筑采用预制板与砖砌的混合结构，现在据说某些地方已经有明确规定不能再用黏土砖。当然一些农村民居还在用砖，也还有砖窑在烧砖，但造砖浪费农土，烧砖产生污染，更深刻的原因，是在社会现代化的进程里，城市建筑越来越追求宏大叙事，在这样的叙事结构里，即使是以前我们觉得十分巨大的城砖，也成了未免细琐的构件。现在动不动是跨度惊人的整体结构，混凝土与钢筋，合成金属与玻璃材料，三下五除二便可以完成以前要用砖一块块砌成的那些关键部分。建筑物的外表，或玻璃幕墙，或大尺寸石材，或大面积整体金属，或浑然一体的水泥"素面"，总之难再有砖的风貌。像以往的那些传统砖雕，一般都仅在一尺见方之内，大的也不过一米见方之内，影壁上的或许会更大一点，或者还有连续回环之势，但是跟现在城市大体量建筑的装饰部件相比，则全"小巫见大巫"了。现在建筑物上的浮雕、圆雕动辄比真实人体与物品还大，一些抽象的装饰部件更可能跨越整个建筑物，极其壮观。

　　砖，作为前工业时期最普遍的建筑部件，在工业化时期被逐渐淘汰，到了后工业化时期，则被作为一种农业与手工业时期的社会符码，进入了历史，成为了文物。北京明城墙遗址公园的形成，便是一个明证。人们在这里怀古，怀旧，欣赏古人残留给我们的文明断片，咀嚼从古砖里氤氲出的音韵诗意。人们在这里会频频地继续发出"怎么竟把北京的古城墙拆毁得仅剩下这样的残段了啊？"的喟叹，但无可阻止的事态是，今后绝大多数的城市居民所使用的新建筑都不会再有传统的砖了，正如今后绝大多数城市居民都普遍使用沙发椅而既无力也无意去置备仿古硬木明式太师椅来家常使用一样。今后或许会有为自己建造或购置磨砖对缝精心砌建并有精美砖雕的仿古住宅的人士，其居所里摆放、使用的净是些纯粹的手工艺品，起居室一面墙上挂满从全世界各地收集来的手制面具，其最炫人眼目的摆设也许是被射灯聚焦，搁放在覆有黑丝绒的台子上的一只从山乡收集来的竹编粪箕——但是，请切切懂得：那一定是在工业化和后工业化进程中获得大利的富豪之一！传统精砖与其他手工含量高的物品成为只有富人才玩得起的"穷讲究"，正进一步有力地说明着砖已逐步坠入历史深处，对此，您是否同我一样心潮难平？

材质之美

从科罗拉多首府丹佛北行不远，便是博尔德市，博尔德意为大石头，其命名的缘由一目了然——雄踞它背后的落基山石脊嶙峋，随着山势，仿佛有许多硕大无朋的巨石汹涌泻下，博尔德宛若一块泻到平原上碎裂为无数散璋零玉的大石。博尔德市一直坚持禁建高层建筑的守则，因此从高速公路逼近市区时，落基山毫无遮拦地整体在目，高原的骄阳，纯净的蓝空，把山石、山松、山草映照得廓清色艳。倏地，博尔德市背后山腰上的一组建筑物跳进眼中，那是我从若干建筑艺术画册中早已看熟的事物，不由得在车上叫了起来："美国国家大气研究中心！"

美国国家大气研究中心建于 1967 年，是美国著名华裔建筑大师贝聿铭早期的代表作之一。国际上的建筑大师少有既述又作的，一般或述而少作，甚至于中年后便述而不作，多在大学建筑系任教，从理论上发展；或作而少述，甚至于作而不述，

主要靠一个个实际的作品"说话"。贝聿铭属第二类中的典型。据说有关业主请一些
建筑师提出关于这座大气研究中心的构想时，别的建筑师都报上了想象图，唯有贝
聿铭交了白卷，他说除非他到拟议中的建造地落基山麓做一番实地考察，他是无法
开始进入构思的。后来业主安排他和他夫人到所择的半山天然坝地实地观察，他仍
多日无所表述。贝聿铭每构思一个作品，总要使其与周遭的自然环境与人文环境相
和谐、互彰美，从不孤立地追求建筑物"本身"的"唯美"，这是他取得成就的
最大优势。当时落基山麓已有别人设计的美国空军学院建筑群落成，全部玻璃幕
墙，以其轻盈灵动的反自然趣味，突出工业化高科技的征服性格，颇得舆论好评。
贝聿铭此前早已多次采用包豪斯流派的简洁盒式设计技巧，并熟练地使用过玻璃
这一材质，他显然是既不愿自我重复，更不能在落基山麓随人之后，所以许多天
里一直在观察中苦思不语。后来他扩大考察范围，终于在科罗拉多印第安人聚居
地，从印第安人的传统居室中获得了灵感，那些蜂巢般的居室与赭红色的山石融
为了一体，不像是人为建造出来，倒仿佛是落基山本身生长出来的"石蘑菇"，于是，
他便决定把美国国家大气研究中心也设计成恍若从落基山半腰上自然生发出来的
一组赭石。

　　1987 年，我曾在纽约州绮色佳的康乃尔大学参观过贝氏设计的姜森美术馆，这
是他在博尔德国家大气研究中心之后的作品。这两个作品，在我看来都是他所谓"沉
思几何学"的代表作，建筑物的外形完全由实际的或镂空的几何板块构成，从图片
上看美国国家大气研究中心时，我便觉得那是姜森美术馆的一次演习，以形态而
言，很难说是从大地上自然升腾起来的衍生物，及至到了博尔德，驱车攀登到向
往已久的大气研究中心，从各个立面仔细观赏，我更觉得一些评论者盛赞贝氏此
作品"与落基山浑然成为一体"的考语，未免是激赏中言过其实了。无论落基山
的山神如何自由挥洒，也是无从点化出这一组充满人类科学理性的几何形板块的，

我想这样的体态恐怕与印第安原住民的传统宅舍也相距甚远。那么，所谓贝氏的这一作品与落基山的和谐感，究竟体现在哪里呢？我以为，那主要是他对建筑物材质的精心选择。

从画册上看到过美国国家大气研究中心的人，相信都会对贝氏所选择的赭石色混凝土立面留下深刻的印象。我在实地观察，发现一般画册上的照片大都在制版时把那赭石色强调得过了头，想来印制者的动机是唯其如此，方能突出贝氏此作与落基山本色相谐的构想。实际上那组建筑物的外色并不是那么雷同于落基山的自然山石，虽偏褐却绝不是深赭色。我仔细观察的结论是，贝氏这一作品神韵之所以与落基山的巨石相呼应，主要还不是外表的选色，而是他特意就地取材，将山上的石头碾碎，掺入混凝土中，成为"骨料"，这样不仅使原本灰色的混凝土具有了山石的某些色调，而且更重要的是，使这组建筑物的立面不同于一般混凝土墙体的视觉效果，显得格外粗犷、豪放。由于在工艺上十分精心，整个建筑群的线条非常精确、规整，体现出了巧夺天工的现代化高科技的理性美，所以用山石渣为"骨料"的混凝土，那带有"气孔"的"赤裸感"就并不让人觉得是粗糙马虎，反而强烈地发射出一种理性的人与野性的山相沟通的氛围，实在是因地制宜地善择建筑材质，把材质之美，发挥得淋漓尽致的经典之作。

对建筑材质精心选择，并竭力光大材质之美，是贝氏一贯的作风，他在中国本土的作品，在这一点上最值得称道的是台湾岛上台中市东海大学的鲁斯教堂。鲁斯教堂的整体结构仿佛是一架巨大的单脊帐篷，呈抛物线的墙体从两侧地面跃升到顶部汇合，从正面看教堂入口犹如一个巨大的人字，这样的外形既奇诡，又符合人神亲和的宗教性诉求。鲁斯教堂以当地烧制的土陶瓦来铺敷整个外墙，那些棕黄色的菱形陶瓦有别于表面光润发亮的琉璃瓦，它们粗厚拙朴，显得沉着而庄严，使整栋建筑物在绿树草坪映衬下显得美而不艳、奇而不俗。鲁斯教堂外敷墙瓦的材质之美，亦是贝氏艺术造诣的一大案例。但贝氏在建筑物材质的选择上也并非尽如人意，如北京香山饭店，整体以流行于中国大陆江南的白粉墙为立面，其间以人工水磨青砖来勾连其上的窗牖，就有人批评其忽略了中国北方的光照与南方不同，而且香山地区的自然生态与皇家园林的底蕴也与江南白衣富家的青瓦白墙的建筑格调相龃龉。贝氏所标榜的就地取材，在香山饭店的设计上亦流于他的主观想象，实际上北京地区出红砖而非青砖，从外地运来原料再由工人打制为可严丝合缝的水磨青砖，最后使每块砖材的成本升至十元人民币以上，大大地增加了整组建筑的造价，而最后所追求的材质之美，却并不能得到大多数人的认同。

　　注重在建筑物的选材上体现出材质本身的美感，应已融汇于全世界建筑师们的职业性思维中，但可惜至今仍有一些建筑师在这方面的思考或甚浅薄，或竟还暂付阙如，结果使得一些建筑白白地使用着造价高昂的材质，却很少体现出美感。像北京前些时候建成启用的新东安市场，其北侧正门使用了大量黑色与红色的大理石材料，本应体现出"红与黑——永恒的主题"这一人类广有共识的审美意蕴，却由于未能细致地厘定并严择石材的色泽质感，加之对彼地光照规律的完全忽视，结果令人无论早晚望去都暗澹沉闷，全然不能给人一种华贵喜悦的美感。愿这类失误，在大兴土木的我国，尤其是在重大的建筑设计中尽可能减少！由此也就想到，无论如何，像贝聿铭这样的国际建筑大师们在体现建筑材质美感上的成功范例，实在值得仔细揣摩，认真借鉴！

觅得桃源好寄情

北京有个门头沟区，传统上以挖煤为其支柱产业，现在煤快挖光了，所以格外重视"无烟工业"——大力开发旅游资源。其中不少名胜古迹，这些年来也确实声播海内外，如百花山、灵山、妙峰山、潭柘寺、戒台寺等等。这两年来，门头沟却有一处前所未闻的地方，吸引着络绎不绝的观光者，那是个深掩在丛山里的小小村落，名字叫爨底下。爨字很难写，细看却很有味道，有如一幅图画，它的字意，是烧火煮饭。你看它上头是个大屋顶，下面有树林子，然后是个大篷了，最下边是火，很有人间烟火气，散发出一股祖籍故居特有的馨香。不作动词用时，爨字就当灶讲。有人嫌爨字太难认也太难写，把爨底下改成了川底下，我以为不合适，爨读 cuan，去声，川读 chuan，平声，音既不同，意更轩轾。本来，这村子是韩姓聚族而居之地，最早，可追溯到明朝永乐年间，后来穿越清代，乃至经过 20 世纪以来的漫长岁月，居然大体不被外界各种力量"搞乱"，从村落外观到村民间的人际关系，淳朴如昔，众人在一个大灶下生息歌哭的生态，以爨底下来命名实在是恰如其分。说成川底下就没道理了，这村子上下都没有河川，有时山洪爆发，为避山洪村子不断上移，非用川字命名，也只能称之为川上头。

最早发现爨底下村非凡价值的，大约是建筑界的人士，更具体地说，是搞建筑史和建筑评论的一些人士。当他们头一回来到这个山村时，简直惊呆了。据说，南方历经千难万劫而大体保持明清旧貌的村落，还很有几处，但整个北方地区，像爨底下村这样的活古董式的村落，实在是罕见难寻——大家可能知道乔家大院，那是一所大宅院而已，并非整座村落，而且历史也不过百年。爨底下村依山而建，就地取材，上下两部分，以弧形大墙界断，墙以山石错落砌成，高达二十余米，有隐蔽的陡梯相连,远望颇似拉萨布达拉宫;村后有山包"龙头",从"龙头"俯瞰,整个上下村的院落辐射为扇面状,又略呈元宝形,细观,则又有周易八卦图的意味,还有人说能看出太极阴阳鱼的布阵痕迹。村落中的农居,大体都是四合院或三合院,有的仅一进,有的顺山势多达三进,因为山村地狭,所以四合院、三合院的格局与北京城内的大异其趣,厢房多往当中"挤",而且进深浅,正房房基高、阶梯陡。尤为有趣的是,各个院落表面上各自独立,其实房后都有暗道勾连,院院相通,上下自如,瞬息可以转移呼应,这既有利于防盗匪,也有利于在突发山洪时往安全处跑。爨底下村现存院落七十余套,约五百多间,但常住村中的居民仅三十余人,所以大多数院落房屋都陈旧不堪,院门大开,屋门上象征性地挂着早已生锈的锁,或根本不挂锁;有的院墙房屋已然破朽乃至倒塌,颓垣断壁中杂树丛生、野菊怒放;从山下沿着蜿蜒的石梯迤逦而上,一时会不知身在何时何处,是自己走进了历史,还是历史裹胁了自己?近侧鸡鸣,远处狗吠,如梦如幻,心荡神驰……

　　建筑界的人士发现了这样一处明清建筑史的活化石,尤其是北方农居建筑群的杰出标本,其欢欣鼓舞是理所当然的。紧接着,社会学家、民俗学家、人类学家、环境生态学家……接踵而至,或考察这个村落留居村民的生活状态以及外流人员的走向轨迹,或研究其民居风格中的刻意追求与集体无意识,或追究其村民从一姓衍生,却并无近亲繁殖的弊病后遗出现,是怎么回事?或将建筑群与周遭山野的内在关系作详细调查,对这块"宝地"的"风水"作出科学诠释……据说已有好几群"泛文化人",即从事的学科不那么专一,包括作家、记者、编辑等,到这山村边看边议,所讨论的问题里,有一个是:这个村子是怎么经历过土地改革、农业合作化、大跃进……特别是,怎么经历过"文化大革命"的?现在只能在村墙上看到些残存的"文革"标语,还有某些四合院门洞的壁画被政治口号覆盖的情况,但奇怪的是,这些政治社会的浪潮,竟都不能改变这个村子的整体格局,尤其是,竟几乎没有在任何一个阶段,盖起哪怕一栋搅乱整个建筑群轮廓线的新房屋,这是村民们的一种自觉的默契,还仅仅是从历史网络中漏下的一个偶然特例?

像一池泛起涟漪的春水,爨底下村的名声引动了范围越来越广的关爱。画家们岂能放过这一写生的宝贵对象?一位大画家说,面对这青瓦石墙、卵石曲巷的古建筑群,他有一种直面历史的浑厚之感涌于胸臆,那种特殊的审美愉悦,是多年不曾有过的了!他不顾年老体弱,在山上一画就是好几个小时。秋日,专业的、业余的画家成群结队地来到这个小小山村,看样子是觉得这里有取之不尽的灵感之源。

近日,一位几次去过爨底下村的朋友对我说,他已经产生了在那村中租房长住的打算。他说,那山村真乃世外桃源,他是"觅得桃源好寄情"。我问他,寄怎样的情?他说,这样道来你就明白了:"觅得桃源好避钱。"这位朋友也是认为国人面临"现代化的陷阱"的,在市场经济风起云涌之时,力主知识分子持批判的态势;我虽并不与他的站位和理念认同,但也觉得市场经济于社会俗众除了正面效益,也确有负面影响,对那些负面的东西,比如金钱至上、钱权交易、因钱丧德、瞻钱卖艺……当然应予批判、唾弃;他能到爨底下村那样的古色古香的环境中潜心做他的学问,我实在应该支持。

我陪朋友去爨底下村觅一处居所。行前据他说,半年前曾问过村里一位老大娘,租她一所厢房,一年需交多少房租?老大娘说:"您来住,俺高兴还来不及,要啥钱,您随便住呗!"真乃漂母返世,令他感动不已。我们的汽车到了村前,却见有一不锈钢的自动伸缩栅横在新铺成的柏油路面上,原来新近此村已辟为了正式开放的旅游景点,每位游人收取门票十元;交妥费,那电栅方紧缩,让我们通过。及至到了村口,方抬脚要登那山道,忽然发现,原来用鹅卵石铺成的古径,已被焕然一新地改铺为颐和园后山坡道那样的面貌;登了几十米,转了个弯儿,忽然有两口直径逾一米的"大锅"闯进了眼帘——不是明清的大铁锅,而是乳白色的承接电视信息的那种锅型卫星接收器!当时我的惊呼声比朋友更响,不是我不赞成因开发旅游资源后迅即富裕的村民享受现代化的资讯,但那制作精良的合金锅,实在是给古建筑群构成的拙朴景观破了相!再往上去,曲巷通幽,陈门旧屋,残窗颓壁,倒还保持着桃源诗意……却又忽有一块"女娲商店"的招牌落入瞳孔,进得那小小商店,商品倒也平常,无非可口可乐、箭牌口香糖之类,但出乎意料的是,店主是位从眼影到睫毛、从马甲到长裤都按都市趣味装点得相当个性化的女士。一问,原来是个"觅得桃源好寄情"的先行者,她从城里到该村租屋而居已三月有余,开店只是为了挣些小钱以为补贴;她自称要将西方文化中的夏娃和中华文化中的女娲相融合,在此山村写出探索女性"原心理"的宏篇巨制……我本拟与那女士详谈,朋友却气咻咻地把我拽离了那爿小店,到了一处废院,他叹口气说:"没想到半年未来,桃源已不成其为桃源了!"后来,在上村遇到区里一位文物局的干部,问起那位开店女士,更得知她与村里一位四十来岁的鳏夫同居,两人成长背景,特别是文化背景差异那么巨大,可是却相处如饴,据说那被她唤作山哥的村民也并非剽悍雄奇之辈,相貌甚至有点猥琐,性格也有点木讷……

出得村子,朋友长叹:"任是深山更深处,也应无计避新潮!"稍许,又重复一遍,把"新潮"改说成"商潮",以更凸现他的观点。

区文物局的干部对我们说,他们已意识到改铺鹅卵石山径是败笔。这村子辟为旅游点后,将尽量保留所有的旧建筑,不会在村里建客栈饭店,想住下来的游客可以在村民的民居中留宿,村民也可以由此创收;想吃饭的游客则可在离村十分钟车程的国道边饭馆里进餐;只有那电视接收锅的问题,一时不好解决……他瞻望起前景来十分乐观。

能否将爨底下村隐蔽于现代化进程之外,使其只成为朋友一流的少数智者"避潮"的桃源福地,并从那类地方,辐射出他们闪光的思想,以将俗众从"陷阱"中拯救出来?看来,这种可能性是越来越小。我清醒地意识到,我们所面临的发展大势,具有某种不可逆转的性质。我尊重朋友的站位和观点,但我自已却决定在顺应大势的前提下,对世道人心作力所能及的匡正,而避免堕入"众人皆浊我独清"的乌托邦情结(实为另一陷阱)中。

感谢爨底下村,它给予了我领略历史沧桑的审美快感,更引发了我如许的思绪。我将再去,于我而言,也是"觅得桃源好寄情"啊。

什刹海畔千斤椅

一段时间,全国各地报纸都广泛刊登了两条关于北京的报道。一条是开通了自玉渊潭到昆明湖的水上旅游线路,一条是什刹海边安放了 100 把千斤重的整雕石椅。这两条消息再次提醒人们,北京不是一座"旱城"而是一座"水城"。玉渊潭至昆明湖的长河,在老城圈之外,而什刹海以及与其相连通的积水潭、北海、中海和南海,却是在老城圈之内的西北部,构成着水波潋滟、绿树环合的秀丽风光。

在我的小说及散文随笔里,常常出现什刹海,仿佛是一个贯穿性的角色。其实于我而言,它哪里仅只是一个笔下纸上总不免要趁隙一现的美人儿,她(我已不能再以"它"来称谓什刹海)分明已融进我的生命。我曾紧依她的身畔,度过了从 19 岁到 37 岁的青春岁月,在精神上,她于我兼有慈母、慧姊、挚友、良医般的滋养呵护。

当然，你注意到，我没说她是我的青春情侣，这当然是为了怕引出家中贤妻的误会——写到这儿正好妻来唤我吃饭，看到这一行大笑："你不好意思说，我可好意思说，什刹海就是我的青春情侣！不过，我要写他，就用人字边的他！"——吃完饭接写此文，仔细一想，可也是，在我的感受上，什刹海是阴柔秀美的，而在妻的感受上，什刹海却颇阳刚雄健；算起来，妻在什刹海边住过的时间比我更长，那湖边蛛网般的胡同，举凡鸦儿胡同、刘海胡同、大翔凤胡同、小翔凤胡同、大金丝套胡同、小金丝套胡同、羊角灯胡同、花枝胡同……是我们青春生命共同的徜徉空间，无数最浓烈的喜怒哀乐，最隐秘的幻想企盼，都镶嵌在了那"镜框"之中，也许，正是什刹海夏日碧波的低吟浅唱，与冬夜湖冰因陡然膨胀而发出的"冰吼"，引发了我们诉说不尽的共同语言、心灵共鸣，从而，什刹海又可称之为我们感恩不尽的媒人。

为迎接中华人民共和国五十周年大庆，什刹海又进行了一次彻底的疏浚，前、后海都重装了新的铁栅护栏，周遭的绿化也进行了增补加强，不消说，还有沿湖长椅的重新配置。记得我们居住在什刹海边时，湖边就有铁脚铁脊与木条组合而成的长椅，其形态与蓝波绿柳十分和谐，虽说日久天长，风吹日晒，那长椅难免漆落锈现，有的乃至木条残缺、倾斜破败，但大体而言，尽管那些年代里休整油饰的次数有限，但无论四季何时，可歇坐者总还居多。现在呢？什刹海畔已用重达千斤的整雕石椅取代了往昔的铁架木椅，这是否首先是出于美学上的考虑？非也，据什刹海风景管理处的负责人介绍，前年新安装了200把铁架子、木头板的双人路椅，到了去年春天，70%遭到不同程度的破坏；补装维修后到今年检查时，工作人员发现又有50%的路边长椅被破坏。在十分无奈的情况下，管理处想到了搬不走、踩不坏的石质椅子。于是专门派人前往以盛产石料闻名的河北省曲阳县订做了100把石椅，每把椅子都是由一块花岗石整体雕刻出来的，长90多厘米，厚约50厘米，重达千斤左右。为此，什刹海管理处的安主任开玩笑地说："我们这些椅子是为大力士准备的。"安主任着实幽默，但对于什刹海畔的千斤石椅，我和妻子，以及许多北京的市民，都实在难以抖出笑纹。

前些天我重访什刹海，在一把千斤椅上坐了良久。当夕阳西下，我正欲穿过湖畔的烟袋斜街离开时，却被当年一位老邻居叫住了。那是鄂大爷。我二十啷当岁的时候，他已经奔五十了，如今虽说须发皆白，年逾八十，那身板，那黑红泛光的肤色，特别是那亮锣般的嗓音，却仍透着健壮硬朗。想当年，无论公家还是私人，哪有那么多机械制冷设备，从大仓库里降温，到小摊贩卖易腐易馊的食物，常常还是要依赖天然冰。什刹海当年便是最大的天然冰产地，隆冬时节，岸边架上许多木板滑梯，湖中许多的采冰工繁忙地凿冰运冰，硕大的冰块从滑梯上拉至岸边，立即被装上卡车，迅速运送到城内外的冰窖里储藏起来，以备盛夏时供应各个部门，也稍带着零售一些给一般市民。鄂大爷当年便是一名熟练的采冰工，膂力过人，嗜酒豪爽。我们不期而遇，都很兴奋。但没说上几句，就把话题落到了千斤石椅上。我说："您是大力士，这椅子只有您配坐。"谁知一句话激怒了他，他竟满脸溅朱，先指着那石椅说："丢人现眼！"又质问到我鼻子跟前："你们这些人是干什么吃的？也不起点子作用！"

虽说跟鄂大爷最后还是尽欢而散，但他那关于千斤石椅的耻感，特别是对"我们这些人"的愤激性企盼，使我一颗心久久怦然。鄂大爷一贯尊重所有的文化人，即使在"文革"那令所有的"斯文"皆尽"扫地"的岁月里，他无力挽大势狂澜，却能坚定地让他的子女仍把胡同杂院里挨了斗的文化人都唤作"老师"。当然，他始终搞不清比如说作家和记者，社会科学工作者与自然科学工作者以及工程技术人员，其实在职业分工上还有若干重大的区别，在跟我对话时统称"你们这些人"，也非止一回，但他那认为"我们这些人"对什刹海畔出现千斤石椅的怪相，应负起一定的匡正世风责任的"怒吼"，却实在不能置若罔闻。

　　重访什刹海那天晚上，恰好与几位"我们这些人"中的朋友在茶寮相聚，我将石椅和鄂大爷都形容了一番，引出了热烈的讨论。虽非"百家"，但思路立论极其纷纭。有的说，这类事，跟随地吐痰一样，经济发展了，生活水平普遍提高了，特别是受教育程度普遍提高了，绝大多数的社会成员也就自然不会那样不文明了；有的说，你写一万篇呼吁不要损坏公共座椅的文章，也顶不了一条"凡损坏公共财物者一律罚以鞭刑"的峻法；有的说这是很小的事情，现在是过渡期，市场经济使一些市民唯私损公，或者心理不平衡，拿湖边长椅撒气，更也许是农村民工大量涌入，缺乏文明习惯所致，只要过渡到一定程度，市场秩序健全稳定下来，社会不公问题趋于缓解，以及农村民工逐步融入市民群体，这些事情就都只不过是"明日黄花"罢了；还有一位说，公众共享空间的器物理应坚实耐用，现在什刹海边的整雕石椅的拙朴风格与周遭风物的格调很相契合，这明明是顺理成章之举，怎么会觉得"丢人现眼"？另一位跟上去说，劝人树立公德心的文章，属于非文学的"老生常谈"，何况如今你就是把那文章写得格外生动深刻，在这消遣休闲的文章大行其道的文化市场上，又有几多"卖点"几多读者？……也有说大陆该出个龙应台了，十多年前，尚未移居德国的龙应台曾以《中国人，你为什么不生气？》等文章，引出了一股震动台湾读者的"龙旋风"，直到今天她仍保持着那股子勇猛地针砭恶劣世风的飒爽锐气；还有人提醒大家注意，也是在各报报道北京什刹海被迫设置千斤石椅那几天里，各报也报道了一名旅居韩国的日本人池原卫在韩国出版了《对韩国和韩国人的批判》一书，书中大骂韩国人"容易激动，又容易失望"，"韩国人的秩序意识等于零"，"韩国人是不懂礼仪、不知廉耻、不遵守交通规则的民族"……池原卫做好了被韩国人打死的准备，却没想到他的书虽然确实引起了一些韩国人的愤怒，可是，该书却在今年上半年稳居韩国综合排行榜的榜首，众多的韩国人在"麻辣烫"的尖锐批评中产生出愧疚，有的韩国人在"读骂"之后，反而感谢池原卫给予了自己"忠告"。我们北京什刹海畔竟安放不了铁架木椅，只能以千斤重的石椅来保证五十年大庆期间观瞻的完整，难道不该骂一骂吗？难道也得等池原卫之类的"外宾"来开骂吗？难道仅仅像台湾的柏杨那样，骂几声"丑陋的中国人"，简单地概括为"脏乱差"什么的，就算鞭辟入里了吗？我们的报刊书籍，为什么不能发出黄钟大吕般的激越呼喊："同胞们，我们为什么不能好好地过？"……在众多的争议声中，我却沉默了。

那天夜里，归家的路上，我一个人走在僻静的护城河边，心里五味俱全。什刹海风景管理处安主任的声音响在我的耳边："我们这些椅子是为大力士准备的。""我们这些"人中，哪些人，或者哪些人的合力，能把这些石椅的沉重感，以及连带的愧疚、惊警、反思、醒悟，举放到同胞们的心灵中？

北京城的建筑色彩

对古老的北京城，有"半城宫墙半城树"的说法。确实，朱红的城墙，明黄的瓦檐，配上浓绿的树冠，上面是碧蓝的天空，那色彩真是漂亮。明成祖时期基本定型到今天的北京城，在明、清两代，建筑基本是五大类，一类是中轴线上的宫殿群，色彩基本上如前所述；第二类是祭祀的神坛以及寺庙道观等宗教建筑，其形状色彩与皇权建筑相衔接，又加上含有特殊寓意的其他处理，比如天坛的祈年殿，古人认为天圆地方，所以最后屋顶是圆形，并用蓝色琉璃瓦覆盖；第三类建筑是贵族府第，一般是外敛内奢的形态，外部围墙很高但呈青灰色，里面的屋宇绝不露头露脸，但有时其形状之奇诡、色彩之艳丽却超过了皇家；第四类建筑是商铺建筑，这类建筑的原物如同北京的城墙城门一样，已经基本被拆除，所剩罕见了，不过可以从复古的琉璃厂街市去想见当年的景象，要说明的是，琉璃厂所搭建的仿古店铺建筑基本上是晚清的样式，装饰零件极为琐碎，色彩杂乱，并非北京古代商铺建筑中的精华；第五类就是北京的胡同四合院里一般的民居建筑，那差不多全是青灰的色调，虽说一水的青灰，但在大面积的青灰色当中，以红油或黑油的门板，兼以各种植物四季不同色彩的配伍，构成点缀，不但视觉上令人感到舒服，也氤氲出一种闲适安谧的人文气氛。

如今的北京城，天际轮廓线发生了巨大变化，色彩也打乱了原有的序列，商业街道跟古时比可以说已经面目全非，胡同四合院正被不断地拆除改造，特别是大体量的现代化高楼雨后春笋般拔地而起，建筑色彩全由每幢建筑的设计者把握（他们当然首先要满足业主在色彩审美方面的要求），而城市发展的整体色彩把握是否已经纳入了规划细目之中呢？则颇令人置疑。

北京的新建筑，单体而言，在色彩把握上表现不俗的例子，在复兴门内外就可以举出若干。中国人民银行总行的建筑使用了石材镶砌墙面，保持了石材类似水泥般的原色，这个色彩处理的构想很雅气，可惜施工当中不知出了什么问题，这些墙面石材上过了这么多年仍有斑斑水渍，属于设计不错但落实不好的败兴例子。它斜对面的远洋大厦，上部中部框架都保持合金钢建材的银灰原色，其间的大玻璃窗也保持玻璃原色，下部则以黑色石材镶嵌，给人以稳重而标致的感觉，而且从设计到施工可谓功德圆满。保持建筑材料原色可以是好的色彩处理，刻意赋予建筑物外观色彩也可以是好的处理，问题在于设计颜色时是否把应该考虑的因素都考虑到了，并能在各种因素中求得平衡。大体量的高层建筑的色彩处理，不能不考虑到所在地的气候特点、光照规律、周边环境，以及来往人流车流的视觉习惯，甚至还应该考虑到一个民族的审美心理定式，以及深层次的人文内涵，当然更应该把新时代所引进的新观念，特别是新一代市民的求新欲望，也都考虑进去。复兴门东南侧，大门朝西，紧贴立体交叉桥的天银大厦，设计者为它的外表选择了两种基本色调，都不是一般中国人认为是"怯"的正色儿，而是中间过渡色，墙体是从深棕向土黄过渡的一种淡咖啡色，玻璃窗幕则是从青蓝向草绿过渡的一种浅绿色，搭配得既娇俏却又端庄，我以为是相当成功的。

近来北京一些社区给旧楼房的外墙刷新美化，耗资不赀，这本是一桩好事，但有的街道两旁的楼面一律漆成了大红、赭红、紫红一类颜色，显得非常"怯"，不仅扎眼难看，而且有路人反映见之心跳加速，血压升高，无端亢奋。一位意见最大的路人评论道："这是晃摇大红布，斗牛啦？！"这样的问题，值得认真研究。

在一座城市的基本色彩情调定下来之后，某些建筑的色彩"出跳"不但无碍，还会形成一种调剂，构成特殊情趣。比如巴黎整体是灰色，灰色是能与各种艳丽色彩配伍的雅色，丝毫不影响巴黎那"花都"的美誉，而且通过蓬皮杜文化中心那样个别具有强烈艳色外观的单体建筑的"出跳"，令"花都"的妖娆更加丰富。迅疾发展中的北京不但应该在单体建筑的设计上更加注意色彩方面的创意，更应在城市规划中加强对整体色调把握的定位与控制。北京的整体色调是以青灰，还是以银灰或浅褐色为主呢？希望能展开讨论，形成共识，加以协调。

我们共同的"五味盆"

那一年我 19 岁。那时候从市区到现在二环路以外的地方觉得很远。我和几个同学汗津津地奔赴朝阳门外。那时候东四十条还没有打通成为马路，更没有现在那宽阔的平安大道。我们出朝阳门外，觉得走了好长一段路，过了神路街的大琉璃牌楼，再往北拐，啊，看见了！我们欢呼起来。我们看见了新建成的工人体育场。那时它还没有启用。多像一只宏伟朝天的银色巨盆啊！我们围着它转。后来又看见了跟它同时建成的工人体育馆，觉得像一个高耸的银铸宝盒。那一年北京一口气建成了"十大公用新建筑"，我们少年人倾心的头一座，自然非"工体"莫属！四十年后，我在所著的《我眼中的建筑与环境》一书里这样表达对 1959 年"十大建筑"的感受：虽然几十年过去，北京增添了无数的新建筑，但这些"经典名著"仍显示着中国气派、造型魅力，而且其投料、施工水平都属一流，功能性十分到位，经久耐用，易于修整，是时代给我们留下的宝贵遗产。

在上世纪 60 年代初期，到"工体"去看体育比赛是我辈一大快事。可惜后来有十年的时间，"工体"竟被当做了大搞阶级斗争的场所，而且久不维修，日渐破旧。那一年我 36 岁，又去"工体"，虽然"工体"仍未大量开展体育活动，我去是参加一项非体育的活动，但心情非常欢畅。那是 1978 年，中断多年活动的北京市文联借那个地方召开新一届的代表大会，我作为新人被邀参加。与会代表住在"工体巨盆"那敦实"盆壁"里的招待所，大会会场设在其附属的大礼堂里。那时候我已经发表了《班主任》、《爱情的位置》两部短篇小说，反响强烈，于是一鼓作气，又写了一篇《醒来吧，弟弟》，这篇怎么样呢？请了些文友，聚在"工体"的庭院一隅，把手稿念给他们听，他们都予以鼓励。那时抬眼望去，"巨盆"一角魁伟如山，绿树繁花，晴空万里，不禁胸臆大畅，文思泉涌。今天回忆起来，那情景仍鲜艳亮丽。因此我跟"工体"不仅有"体缘"，也有"文缘"。

那一年我43岁了。"工体"早经修整改进，彻底恢复了其体育场的正常功能。改革开放，生活提升，人生五味里，甜味渐浓，但毕竟不能事事立即如愿。比如中国足球"走向世界"，本以为胜券在握，却万没料到竟在"工体巨盆"里，发生了中国队败于香港队的"咄咄怪事"，一些球迷在散场后有一些过激行为，惊动世界，是为"5·19"事件。如何看待这一事件？如何对待那些"闹事"的球迷？经过一番思考，我写出了纪实小说《5·19长镜头》，把足球比赛与观看比赛放到人类文化一个重要品类的框架中，从人类行为学、心理学、社会学等角度，做出了自己的独家分析，吁请多多理解、关爱那些在随时代前行中，因青春激情而一时乱了步子的青年人。此篇很快发表在《人民文学》杂志，引出了我走上文坛后的第二次轰动。事隔多年，还有不少人记得这个作品，见到我时，往往会提起它来。"工体"啊"工体"，通过《5·19长镜头》，我跟你的"体缘"与"文缘"，融汇为了一体！

"工体"确实是一只巨大的"五味盆"，它承载着北京人——也不仅是北京人，还包括难以统计，但数字一定也不小的外地人，乃至外国人——那涌动奔放的情感，其中酸甜苦辣咸俱全，特别是中国足球"走向世界"的历程中，好多足印是烙在"工体"的绿茵上的。人们尝到了延续多年的苦涩酸辛，虽说这是在国力日益健旺、生活日益多彩的大甜中的苦涩酸辛，但究竟不是什么好滋味。直到2001年，中国足球队终于闯进"世界杯"决赛圈，这苦涩酸辛才化为了甘甜。"工体巨盆"默默无言，也许，它是在想，这关键的"翻身仗"，怎么让沈阳五里河体育场占了先，而没有让自己胸怀里的绿茵，享受那一份突破的荣耀？

如今北京有了多个新的体育场。为迎接2008年奥运会，还要兴建更宏大更先进的体育场。"工体"渐渐成为"老爷子"了。这位"老爷子"可不服老，正在新情势下设法返老还童,腾出部分场地兴建"海底世界"就是招数之一。人们仍然愿意亲近它。小半个世纪里,它已经承载了我们那么多的人生滋味,"工体"你这巨大的"五味盆"啊,叫你一声"大众情人",你不会生气吧?

珠走玉盘喜煞人

世界杯这场全球性的大游戏,牵动了人类社会生活的各个方面,为承办 2002 年的世界杯,韩、日两国都新建或扩建了不少赛场。从赛事安排上,可知一个月的比赛将巡回于 20 座赛场,其中韩国、日本各 10 座,韩国的 10 座全为新建,日本大阪、茨城两座为扩建,其余也是新建。从建筑艺术上欣赏这些比赛场所,也是一大乐子。看电视转播时,我以为不仅要看场上的拼搏,像场边教练与替补队员的动向、看台上拉拉队的奇异装扮与狂热跃动、赛场的全景与鸟瞰镜头,也都值得欣赏品味。

随着足球运动的普及和足球比赛的观赏性不断增强,现在世界上兴建的没有跑道环绕的专用足球赛场越来越多,这样的赛场拉近了观众和绿茵的距离,在看台上可以把球员和拼搏情景看得更真切,比在综合性赛场观球过瘾多了。韩国为举办世界杯新建的 10 座赛场里,至少有两座是专用的足球比赛场,日本新建的崎玉体育场更把专用球场的特色体现得淋漓尽致,63060 个看台座位近拥绿茵,两个对称的三角形拱状顶棚把东、西日晒化为乌有,整个形态比一般综合性体育场更显玲珑秀美。

旧式的体育场,多为显豁的盆式,一般没什么顶棚,即使看台最上部有一点遮棚,也大都是从建筑结构的稳定性上考虑，而并非为看客着想。现在世界上新建的体育赛场，则都更趋向人性化，把人的需求，看客的舒适方便，提升到第一位，因此遮阳挡雨的顶棚也就越来越大。韩国新建的10座赛场，7座的顶棚覆盖率都在70%以上，像仁川体育场和釜山体育场的顶棚覆盖率更高达100%；日本的静冈、大分、扎幌体育场的顶棚也是100%地覆盖座席，其中大分体育场的顶棚是滑动式的，开阖自如，技术上非常先进。

在所谓现代化的建筑格局与新型建筑材料的推广中，世界一体化的因素不可避免地渗透到各国体育场馆的设计中，但各国有志气的建筑师们还是努力地抗拒一体化对民族地域传统特色的轻视与消解。韩国新建的蔚山体育场把韩国传统民居合院的风情糅合了进去，仁川与西归浦体育场以风帆或海贝的线条来彰显临海的地域特色，都是值得称道的；日本扎幌体育场的简洁造型也既有其传统工艺品的韵味，又契合于其北国风情。这些有益的尝试正如珠走玉盘喜煞人，值得中国建筑师们借鉴。

公共与共享

公共指的是俗众共用，比如城市中的公共汽车，它们的功能基本上只是为居民及外来客代步，还构不成一种生活享受。共享则强调要为公众提供满足健康欲望的生存享受。一般城市中的公共空间，如马路、人行道、过街天桥、广场、绿地、公园、商厦、博物馆、娱乐场所等，有的只能说具备公共使用的性质，有的虽能为公众提供某些方面的享受，但大都被切割在不同的区域之中。在新兴城市的规划中，以及某些老城的改造方案中，有可能使公众共享空间得到极大展拓，甚至于可以将一般公共使用功能都点化为令人欢愉的共享空间。

美国科罗拉多州首府丹佛，市政府大楼前的广场上矗立着相对应的两尊铜雕。一尊是印第安酋长骑在马上准备战斗，一尊是抛掷套马绳的西部牛仔在马上施威。前者告诉人们这落基山下广袤的平原曾是谁的家园，后者告诉人们又是谁从东部到此淘金驯马，在此创立了所谓的家业。有趣的是，现今的丹佛人并不以为这两尊雕像应当互相迎上去拼杀，而是心平气和地把他们都当成自己的先辈，平等供奉，体现出一种"俱往矣，朝前看"的实用主义心态，这或许便是典型的美国精神吧。

直到上世纪80年代初，丹佛还是一座闭塞而沉闷的高原城市，淘金热、圈地热早已化为影剧中的传奇故事，工业与农牧业停滞不前。后来由于开发了微电子工业，丹佛附近迅速形成了第二个"硅谷"，这就带动了整个大丹佛地区的经济发展。经济的腾飞自然促进了城市的改造与发展，许多处于类似状况中的城市，在急切展示经济成就的躁动中，轻率地将原有的陈旧建筑成片拆除，将其改造为模仿性很强的摩天楼，又往往盲目地追求新开发区的规模，结果是城市虽然可谓面貌一新，却新得没有特色，甚至于很快便令本地居民感到腻味，而外来客则除非有功利性的必要，绝少"二进宫"者。丹佛市在改造与发展的过程中，却自觉地摒除了上述弊端。80年代中期，市政当局与工商界密切合作，广泛地听取了市民的意见，又格外尊重、信任包括景观设计师在内的专业人士的想象力与创造性，结果，实现了一个在全美国堪称是大手笔的设计——将整个市中心营造成了一个巨大的公众共享空间。

经重新营造的丹佛市现有70个密栽行道树的方块形街区，其中还嵌有45个敞开式公园，其中最令人兴奋的是第十六林荫大道。这条长达1.6公里的林荫道从头至尾均是向公众提供享受的场所，其中保留着当年仿照意大利威尼斯圣马可钟楼建造的尖顶钟塔，1892年开业的布朗宫旅馆，具有欧洲文艺复兴风格的拉利美尔广场，若干早期富商建造的维多利亚式房屋，以及虽在1984年毁于大火，却依然以其残存躯壳为基础加以恢复的有百年历史的共济会会所。这些建筑物所经历的年头在我们中国人听来实在算不上久远，一般恐怕很难被纳入文物范畴，但对于美国人，又尤其是对于位于美国中西部的丹佛人来说，这些建筑物足可勾出他们醇醇的怀古幽思了！这些经修复及精心保养的建筑物都开放为银行、博物馆、商店或特色餐馆。当然在这条大道两侧又新建了若干现代派或后现代派风格的簇新建筑，其中不少是综合性摩天楼。这些不同的建筑又由以灰色与紫色磨光大理石镶嵌的风雨廊相勾连，公众可以全天候悠闲自如地游动在这阔大而丰富的立体空间中，尽享购物、观赏、休憩、娱乐、阅读、凝思的生活乐趣。最富特色的是，第十六林荫大道不仅有风雨廊及廊外极其宽阔的步行道，道上花栅内散布着街头咖啡座、啤酒吧，街心更有由绿树、花坛、灯柱、喷泉、圆雕错落构成的锦毯式共享空间，其中掩映着几十处售货凉亭和伞下雅座，从凌晨到深夜向公众提供着丰富多彩的小吃、饮品和雪糕、冰激凌，以及琳琅满目的工艺品、纪念品——其中引人瞩目的是牛仔帽和采自落基山的各色形态不一的石头；其间也有免费的自动饮水器和长椅短凳，并且预留出若干供专业和业余表演者进行露天演出的场地。为使这条林荫大道的公众共享性质更加凸现，并显示丹佛市的慷慨好客，当局还特意定制了一批低踏板、宽车厢、大玻窗的电动交通车，从每天凌晨六点至午夜，从林荫道两端，每隔七十秒钟准时发一班车，中速对开，逢到每一街口必停，并且完全免费，这就打破了一般城市中所谓步行街的雷同模式，令人不仅觉得方便，而且备感亲切。为保证这条林荫道永呈美感，有相当数量的全职清洁工随时维护保洁，包括每天三次定时冲洗花岗石铺敷的人行道。大道上保持随时有十二名警察值班，使在该区域享受生活的人们充满安全感。

难怪如今丹佛第十六林荫道已成为了当地居民的骄傲，并吸引着越来越多的外地、外国游客——很多是兴致勃勃的回头客。

丹佛市政规划改造的大手笔，特别是第十六林荫道富有想象力的设计，启示着我们，公共设施的规划设计必须在共享性的展拓上下工夫，尤其要突出一个"享"字——健全的社会，意味着生活本身就是一种审美享受！

拼贴北京

已经写过很多次北京，2000 年还由上海文艺出版社出版了一本图文并茂的《刘心武侃北京》，难道还有可写的？当然！北京之所以说不尽，首先是因为它本身历史悠久变化巨大，尤其今日的北京，由静态北京转型为了动态北京，无论是笔、键盘还是口舌怎么忙个不迭，也还是赶不上它那令人眼花缭乱的"摇身一变"。再，北京之所以说不尽，也是因为我这个定居北京逾半个世纪的老市民的生命体验日日增酽，我觉得自己仿佛成了一只永能抽出新丝的老蚕。

还要写北京！但这回打算完全任由思绪的飘逸，随手写来。"后现代"理论有"同一空间中不同时间并置"一说，亦即以拼贴方式作为叙事策略，好！就拼贴一个我感受到的北京！

北京的魅惑力常常深藏在若干细节里。

比如：羊角灯。在北京内城西北什刹海水域附近，有一条羊角灯胡同。那是一条非常典型的小胡同——不长，不甚直，两边的四合院都不甚峻丽，直到 20 世纪 70 年代以前还是黄土路面。为什么叫羊角灯？是否明、清时期这里有生产羊角灯的作坊？或者是有专营羊角灯生产销售的商人在此居住？什么是羊角灯呢？这种灯的样子像羊角？那形状多么奇怪！是用羊角做的吗？怎么个做法呢？后来我有回在枕边翻《红楼梦》，在第十四回里读到这样的描写："凤姐出至厅前，上了车，前面打了一对明角灯，大书'荣国府'三个大字……"胡同里的老人告诉我明角灯就是羊角灯。那么，从《红楼梦》里的这种描写可以知道，这种灯的体积可不小，否则上面无法大书府名。再后来又从《红楼梦》第七十五回发现有这样的描写："当下园之正门俱已大开，吊着羊角大灯。"我翻的是庚辰本，但在通行的一百二十回本子里，第十四回的描写里"大书'荣国府'三个大字"被篡改为"上写'荣国府'三个大字"，而第七十五回的描写则篡改为"当下园子正门俱已大开，挂着羊角灯。"瞎改的前提，一定是觉得羊角制作的灯上纵然可以写上描红般的大字，却绝不可能在灯体上"大书"，不可能是"大灯"。改动者怎么就不细想想，倘若真是仅如羊犄角本身那么大的灯，怎么能与贵族府第省亲别墅的正门相衬？而且，那样窄小的灯内空间，也很难安放点燃的蜡烛呀。

北京有句土话：叫真儿，也有人写作"较真儿"。就是对事情认死理，对似乎是枝节的问题也要研究个底儿透。这种群体性格仍存在于今天的北京市民里。

我曾这样想象过，在玻璃远未普及的情况下，也许是有一种把羊角高温融化后，再让那胶质形成类似玻璃的薄片，然后将其镶嵌在竹木或金属框架上，于是便将那样的灯称作羊角灯。在一个初秋的傍晚，夕阳仿佛在什刹海里点燃了许多摇曳的烛光，我在湖畔向一位曾经当过道士的葛大爷提起这事，说出自己的猜测，结果先被他责备："哎呀，可千万不能胡猜乱想呀！"后听他细说端详，才把羊角灯搞清楚。原来，那灯的制法，是选取优良的羊角，截为圆筒，然后放在开水锅里，和萝卜丝一起闷煮，待煮软后，用纺锤形木楦子塞进去，用力地撑，使其整体变薄；如是反复地煮，反复地撑——每次换上鼓肚更宽的木楦，直到整个羊角变形为薄而透明的灯罩为止。这样制作的羊角灯罩的最鼓处直径常能达到一尺甚至更多，加上附件制为点蜡烛的灯笼，上面大书三寸见方的字，提着或挂在大门上面，当然都方便而得体。

我感谢葛大爷口传给我这关于北京旧风俗的知识。但他那期望旧有的风俗都能原封不动地予以保留的心态，我却并不能认同。有一回他在鼓楼与钟楼之间卖风味小吃的地方遇上了我，见我正在那儿津津有味地吃一盘灌肠，竟把头摇得像拨浪鼓一样。他认为那灌肠的颜色不对，本应是玫瑰红的，怎么成了浅褐色？我告诉他原来那种颜色是放了食物染料，有副作用，去掉有好处，他说那这还能叫灌肠？他还认为只有用那种铜把下面镶着象牙或骨头制成的双齿叉戳着吃灌肠才对谱，现在一律用筷子夹着吃太离谱！卖灌肠的汉子高声对他说："如今谁花那么多钱投那个资？再说想置办那样的叉子也没见有地方供应！老爷子，别捏酸假醋穷讲究啦！来一盘尝尝是真格儿的！"他竟仍把脑袋当拨浪鼓摇，背着手一径走了。那也是我跟葛大爷最后的一面。如今这座城市离老谱的事儿真是太多太多了。葛大爷能眼不见为净，也好。

许多外地人感叹，北京胡同的名称真有味道，有的真优美极了，比如百花深处——今天尚存；杏花天——可惜已经消失。但对这些觉得优美文雅的胡同名字表达欣赏时，务必不要轻易发出"古代北京人给胡同取名字是多么注意推敲呀"这类的感叹，因为事实的真相是，明、清时期北京人给胡同取名字其实多半是很不注意推敲的，制酱作坊所在就叫酱房胡同，存卖劈柴所在就叫劈柴胡同，形状像裤裆就叫裤裆胡同，存粪的胡同就叫粪缸胡同，而狗多需打就叫打狗巷……这是最主流的取名法。到辛亥革命以后，这才有人出来加以矫正，办法是尽量谐音而使用字雅化，如劈柴胡同改为辟才胡同，裤裆胡同改为库藏胡同，粪缸胡同改叫奋章胡同，打狗巷则改为大格巷等等；有的改得应该说非常成功，如烂面胡同改为烂漫胡同，大墙缝胡同与小墙缝胡同改为大翔凤胡同与小翔凤胡同，打劫巷改为大吉巷等等；有的改法则未免有些个胶柱鼓瑟，如把明代一度与宦官魏忠贤合伙误国的客氏（皇帝的奶妈）住过的奶子府改为洒兹府，把闷葫芦罐胡同改成蒙福禄馆胡同……体现出北京人爱面子的特性不是随时代衰减倒是随时间愈坚。

我一度对胡同今名后面被遮蔽住的原名极感兴趣，但探究得多了，却觉得既扫兴又败趣。现在再有老北京向我指出，我对某某胡同名字的欣赏是误读，极愿将那胡同的"真名实姓"给予点破时，我会将食指竖在唇边，然后哀求他说：难道就不能让我保留几分美丽的误读吗？像什刹海边的鸦儿胡同、大金丝套胡同和小金丝套胡同、真如镜胡同、藕芽胡同……我就愿以它们目前的名字来放纵自己的想象。说实在的，别的地方我不敢说，像北京这种性格的空间，对其适度地误读不仅不是坏事，而且甚至可以说是一种必要的审美姿态。

我在 1980 年 10 月写成的中篇小说《立体交叉桥》开篇便是其中角色的叩问："有什么变化吗？"然后我写到他的失望——他所期待有所变化的东单十字路口，尤其是西北角把口的丑陋建筑，三十年来直到他那天凝望时仍没有拆改。我在 1998 年出版了《我眼中的建筑与环境》一书，这本建筑评论与环境随笔集的第一部分是评论长安街上的三十五座建筑，其中第三十五座基本上就是《立体交叉桥》那个角色所看到的简陋的菜市场，其门面顶部使用了一点云形手法，呈现出一种略有变化的弧形轮廓线。这本书到 2001 年已经第四次印刷，但那张本是写实的东单菜市场照片已经成为了历史照片，现在从王府井大街南口到东单南大街南口的整片地方，是一组硕大而高档的建筑，名称叫新东方广场，其中包括五星级大饭店，大型商场，写字楼和豪华住宅。入夜，这座立面由银色合成金属与淡灰色玻璃幕墙构成的现代派建筑顶部以略带橘色的强光营造出梦的境界，配置在建筑物前面的喷水池则喷溅出仿佛由碎玉珍珠构成的水柱与水帘，无论是对之凝望还是行走在那庞然大物面前，都会令一些单个的生命备感自己寒酸渺小。如果《立体交叉桥》里的那位角色现在置身于这样一个空间里，他会对这巨大的变化产生什么想法呢？是欢呼："啊，这正是我所期望的变化！"还是茫然疑惑："啊，难道我需要的是这种变化么？"

长安街另一边西单十字路口的变化更是全方位的，我仅仅半年没去，前些天去到那里，简直无论站在哪一角朝哪一个方向望，都几乎完全认不出来了。概而言之，是一点点葛大爷所浸泡过并且熏给我的那种老北京的味儿全没有了。四望基本上全是高楼大厦，虽然有的用了一点民族化的亭檐素材，但其占据主流的建筑语汇却是西方现代派或后现代派的。在东北角的文化广场中央有玻璃金字塔，让人马上想到法国巴黎卢浮宫广场的玻璃金字塔，只不过小许多也瘦许多罢了。西北角是美籍建筑大师贝聿铭设计的中国银行总行，他简直就是把给香港设计的那座中国银行大厦截成三段移到北京摆放这个路口而已，这样对待北京的空间，是功还是过？

我们都知道上海这些年变化很大。但上海历史很浅，它一出生便定位于了"洋场"。它的变化其实更准确地说是恢复与展拓。北京是古都，这是不仅中轴线上还完整地保留着紫禁城、景山、钟鼓楼，内外城无数街道胡同与名胜古迹都还蕴含着古都风貌的空间。在这个空间里弄出那么多的洋味儿，而且还不是古典的西洋味儿，主要是些西方现代派与后现代派的洋味儿，难怪引出了争论：这究竟是发展，还是破坏？

我对北京的变化心情是复杂的。我居住在北京安定门外护城河边。北京内城有九个门，直到清末甚至民初，这些城门的分工是很明确的，正阳门是皇帝专用，其他如朝阳门是进粮车的，阜成门是进煤车的，东直门是进木材车的，西直门是进载水车的，德胜门是进出兵车的，崇文门是进酒车的，宣武门是出刑车的，那么安定门是专门用来通行什么车的呢？粪车。一点不错，记载分明，很多年里，城里厕坑里掏出的粪便，由粪车从安定门运出，也并不运到很远的地方，像我现在所住的高层居民楼，以及附近若干相似的居民楼，包括一些盖得很华美很气派的写字楼和商厦，以及生意总是好得不得了的麦当劳、肯德基快餐店，所在的地皮几十年前大体上都是粪厂。所谓粪厂，是一种行业，把城里的粪用粪车运到这种地方以后，卸下，摊开，晒干，然后再收集到一起，卖给种粮食、果树、花木的农民作为肥料。那时候一出安定门便会有一股浓重的粪臭迎人而来，刺鼻熏衣，沾附难除，所以人们能不从那里过就一定不从那里过。那时如果是住在安定门外，一定是最穷最没有办法混得最惨的人。

我还没有把安定门外当年的真相讲完，几位年轻邻居就捂着鼻子大声喊："别说了别说了！"但是当一位外地人听说我住在安定门外护城河边时却恭维我说："呀，我去过那地方，又繁华又美丽，你这人真有福气啊！"。

我从安定门住处的阳台望出去，北京城东、南、西三个方位的天际轮廓线历历在目。三面都有高楼大厦的剪影，东部尤其密集。入夜，远近的霓虹灯光灿烂闪烁。这座城市的生活方式正在发生越来越大的变化，一批又一批的城市居民陆续享受到了抽水马桶，粪厂的历史已经结束并被许多人忽略遗忘。对这样的变化我怎么能不拍手称快呢？

也不能说以往的安定门外一无是处。安定门外曾有一处满井。据明末《帝京景物略》一书，"出安定门外，循古濠而东五里，见古井，井面五尺……井高于地，泉高于井，四时不落，百亩一润……井傍，藤老藓，草深烟，中藏小亭，昼不见日。"到清朝乾隆时期，《水曹清暇录》一书也还这样记载："……井高于地，泉平于眉，冬夏不竭。井旁丰草修藤，绿茸葱蒨。士人酌泉设茶肆，游者颇多。"但到晚清的《天咫偶闻》一书里，就已经变成"白沙夕起，远接荒村，欲问昔日之古木苍藤，则几如灞岸隋堤，无复藏鸦故迹矣。"一位祖辈定居安定门内的老北京张大哥跟我说，在上世纪 60 年代北京城墙以及安定门等城楼都还大致完好时，他曾在安定门外找到过满井遗址，那里已经搭满了小房子，成为低收入人家的居住点。在一块空地上有口井，井口很高很大，盖着大石板，有位老奶奶跟他说那井叫满井，他从石板缝朝下扔石头，过了约半分钟，听见一种仿佛闷嗽的声音传了上来，说明那井虽然已经绝对不满了，里头毕竟还是有水。

但现在满井连遗迹也荡然无存了。我曾试着顺护城河往东走了不止五里路，试图寻找到哪怕是一丝丝关于满井的踪迹。可是我看到了价格近一万元一平方米的商品房，看到了大型的建材商场，还有婚纱摄影店，以及一家郁金香洗脚屋……就是没有什么满井。我遇到一位穿着浅绿彩绸衣，手持水红色舞扇的老大妈，显然她是要赶赴河沿绿地参加老年秧歌队的健身活动，我跟她打听满井，她和颜悦色地回答我："马……什么？普尔斯马特超市么？咳，这边没有，您得——"我没听她说完便道谢跑开。

像满井的消失，以及人们对它的遗忘，这样的变化，能不令我遗憾与惆怅吗？

北京已经赢得 2008 年奥林匹克运动会的主办权。为此提出了一个响亮的口号："新北京，新奥运"。奥运会诚然是新的，北京为什么必须争新弃古？——这是某些文化界人士提出的问题。

刷新北京的努力不是仅仅停留在口号和计划上，而是在紧锣密鼓地加以实施。在北京大北窑一带，原来已经修建了相当高耸的国际贸易中心、嘉里中心等现代派建筑，如今则进一步启动了 CBD 即北京中央商务区的宏大工程，那里将高楼林立，并可望出现耸入云霄的超高级摩天楼财富大厦，以体现中国真的已经自立于世界民族之林。CBD 曾被一些传媒昵称为"北京的曼哈顿"。美国纽约"9·11"事件发生后，这种提法才逐渐淡化以至消匿。曾有文化界的朋友打电话来，希望我在他们拟就的一份意见书上签名，以阻止这种令"北京不再是北京的"计划实施。我没有参加签名。这些年我乐于自由表达个人独立见解，不想贸然卷入任何群体性的，尤其是具有情绪性的粗糙表态。我看到了报纸上登出的资料，还从电视上看到了 CBD 总体设计的三维动画，据说那设计刻意避免了曼哈顿的缺失，摩天楼之间保留了开阔的绿地，甚至摩天楼本身也还在平台上设置了绿化带；而且财富大厦等主体建筑是请德国名设计师精心设计的，采取了新简洁主义的手法，很新潮，也很实用。但我的印象却只觉得刻板乏味。抛开那还是不是北京的问题，即使拿到一片空白的地方建造，似乎也还是没有太多视觉上的冲击力与心理上的亲和力。当然，也许功能性很到位。

大北窑毕竟离天安门广场已有数公里远，而国家大剧院可就在广场旁，紧挨着人民大会堂和中南海。现在所实施的设计方案出自法国建筑师安德鲁。他的设计外观看去像个透明的大水泡。有更多的文化界人士对此忧心忡忡，甚至是痛若切肤，为此我一天之内接到过五次电话，要求我在表示反对的信件上签名，还接到厚厚的资料，是提供给我用以写文章抨击那个"大尿泡"的。北京的城市面貌以及相关的人文精神真的跌落到了我们为此迫着发出最后的吼声的危机关头了吗？奇怪的是，当我看过所有相关的资料后，我却很欣赏安德鲁的设计。古老的文明需要注入新鲜的血液。我想到了如今还健在的前门箭楼。这座箭楼是在 20 世纪开头时被"八国联军"轰毁后又重建的，重建时并没有"照本宣科"，帮助重建的德国建筑师加大了楼体总体积，在楼身添加了大理石平台栏杆，在楼窗上方添加了拱形檐饰，在楼肚上则添加了体积巨大的装饰性部件，后两项添加物具有与中国古典建筑语汇相异的西洋趣味，但是人们很快接受了这座箭楼，以至到今天许多中国人以为，明、清时的前门箭楼就是这么个模样。我讲不出很多的道理，只是觉得安德鲁的设计能给古老的北京增色，就像上海浦东的金茂大厦给上海大大地增色一样，或许那增色添彩的程度还会大大超过。

　　于是我对北京实施中的 CBD 和国家大剧院的相反态度被一位文化界朋友斥为"机会主义"。在北京的城市发展问题上我没有什么主义。但我对北京的深厚感情促使我抓紧一切机会促进它在传统与现代之间求得和谐之美。

　　北京很大，很丰富。从 1999 年秋天起，我在东北郊农村开辟了一间用于休憩与写作的书房，因为是在温榆河边，所以把它称为温榆斋。今年夏末秋初我有意沿着离我最近的温榆河漫游，并且画了不少水彩写生。我这才发现离城不过二十多公里的温榆河畔还能找到若干自然植被丰茂的富有野气的河段，这真让我欣喜。只是温榆河水的气味不好，有些河段的气息恶臭难闻。但是市政方面已经有了很具体的治理计划，将关闭一百多处市区通过来的排污口，并全面进行清淤，治理后的温愉河流域两岸将有宽达二百米的人工绿化带。人工绿化措施当然要拍手欢迎，但我最关心的还是对既有自然植被生态的维护滋养。昨天我到了一处隐秘的河湾，是村里的一位小伙子带我从杂草树丛中摸过去的，一群花喜鹊从芦苇丛里窜飞而去，蒲草的长叶仿佛美女的秀发在微风里摇曳，还有些蒲棒没有熟裂化为飞絮，村民唤作"人儿菜"的野蓼开出串串红紫的花穗，据说它初春的嫩芽用开水焯熟凉拌起来非常可口；河湾里的绿萍忽然荡动起来，原来是一对小野鸭大大方方地游了过来；蜻蜓掠过我们身前，身体上有醒目的蓝色斑点；粗大的榆树旁蜉蝣成团搅动，快活地撞到我们脸上，享受着它短暂的生命……从我们所在的地方，看不到房屋，看不到电线杆，一点城市的迹象也没有。这难道也是北京？啊，有一种非自然的声音渐渐逼近，紧跟着蓝天里出现了银色的飞行物，那是飞机，天竺机场，也就是目前北京唯一的国内兼国际民用航空港就在附近，离这个小河湾顶多也不过三公里。我找块石头坐下来，打开画夹子，并且用唱歌般的调子说："这也是北京……"

一厘一缕总关情

　　那天看到电视上几位专家各抒己见，讨论历史上北京的建都究竟始于何时，他们的那些互不相同的观点论据看过不能一一记住，但他们那溢于言表的热爱北京的感情，特别是眼神里那份真情挚意，久久储留在我的心臆，暖暖的、甜甜的。关于北京，我也曾写下过许多的文字，有比较宏大的叙事，也有非常个性化的文本，比如前些时中央电视台1、4、9、10频道陆续播出的《一个人与一座城市》纪录片，我就结合自己半个多世纪来定居北京的生命体验，又一次赞叹了这座神妙精深的古城。前些时候关于什刹海周边酒吧迅疾孳生，传媒找我表达意见，我也积极发言，在电视上露了面，还写了《维护城市传统情调空间》那样的文章。前些天我不慎在郊外摔裂了脚跟，目前打了石膏在家静养，《北京晨报》编辑来电话约写情系北京的文章，我仍欣然应允。一位闻知我脚伤来电致慰的朋友听我告他正在电脑前为此敲键，笑劝我道："你也消停点吧！难道你对北京建都史也有研究？如果一般地讲热爱北京，你难道还能有新的话说？"我回答他建都史方面固然没有发言权，但作为一个北京城的老市民，实在是还有很多话想说，即使养伤也欲罢不能。此是实情，容我细诉。

　　恰好这些天又有外面来的朋友来京，说是这回不那么匆匆来去，要多留些时日，打算"鸳梦重温"，把天安门、长安街、王府井、紫禁城、十三陵、八达岭、祈年殿、雍和宫……再"十二栏杆拍遍"。我就对他说，你这回既然打算长居，那你就一定要把欣赏北京的审美活动细化。也就是说，一定要懂得，北京之美，不仅在那些举世皆知皆羡的大风景。北京有数不清的小风景，也很值得细加品味。他让我指点迷津，我就摊开北京地图，一一道来。我告诉他，在离北京东火车站很近的地方，掩藏在

一片胡同平房之中的智化寺，就很值得一游。那里面有基本上还保持着宋代结构的
古庙堂，还有一种非物质性的宝贵至极的文化遗产——唯该寺独有的佛教音乐。在
朝阳门外，则有东岳庙，那主殿两厢朱红回廊里一间间泥塑各异各有讲头的"司"，
可能曾为曹雪芹写太虚幻境里的"薄命司"等提供过灵感来源。从复兴门往西可以
找到北京现存的唯一道观白云观，春节时期它有风味独特的庙会，但不是节日期间
去寻访可能更别具一种幽静的韵味。他知道恭王府花园和宋庆龄、郭沫若故居，但
忽略了也在那一带的郭守敬纪念馆，也就是高踞在山坡上的净业祠，我告诉他不仅
那里值得一览，就是前门箭楼和德胜门箭楼上头也值得登观。举凡钟楼、鼓楼、白
塔寺、国子监、孔庙以及地、日、月等坛不用我多说了，前些时修复的先农坛、福
佑寺、历代帝王庙等处，如开放也一定要去看看。他说哎呀原来北京还有这么多的
珍珠宝贝啦，我说其实我这还都是说的城圈子里头和离原来城墙不远的珍宝，而且
也还远未说全，像湖广会馆和正乙祠的戏楼，文天祥纪念馆的古树古碑，五塔寺的
大白果树掩映的金刚宝座塔，大钟寺的永乐大钟……还多着啦！他说你指点的这些
地方恐怕有的北京人特别是年轻人也不一定都去过吧，我说那可不，正因为如此，
我才建议凡有了闲工夫的人，都能去这些古典小风景里去润润心，沐浴一番传统文
化的甘霖。当然，我也不是说唯有古传的东西才能体现北京文化肌理之美，这几年
北京市政府做了不少好事，像投资建成了带状的皇城根遗址公园、楔形的明长城遗
址公园，以及大中藏小、精雕细刻的菖蒲河公园等等，它们都起到了把传统文化与
现代都市融汇衔接到一起的作用，徜徉其间，感受更加丰富。他见我在那地图上指
来指去，兴奋而得意，就说你是不是有种特殊的快感？我坦白：对我来说，那地图
上的一厘一毫，几乎都蕴藏着珠玑翡翠，怎能不令我心动神驰？

　　朋友问我，脚伤痊愈后，头一处想游的地方是哪儿？我说那时会马上去前后锣
鼓巷走走，也许还会骑车去一些胡同里转转，像什锦花园、菊儿胡同、百花深处、

大小金丝套、羊角灯胡同、象鼻子中坑……少年和青年时期常出没的地方，既是去怀旧，也是去寻诗。他说恐怕你会看到很多涂写着"拆"字的破墙，以及一些盖得不伦不类的新楼。我说北京在旧城改造方面确实有败笔教训，目前存在的有待慎重斟酌妥善解决的问题也真不少，但是你别以为我是个一味抱着古旧不放的"愤新"派。时代在发展，生活在演进，特别是新一代的北京人在成长，他们的一些合理欲望，确实是在古旧空间里满足不了的，因此对旧城的适度改造势不可免。近年来我涉足建筑评论，动机就是想在如何才是适合之度这一点上，贡献自己的见解建议。我没有什么先验的框架，坏处说坏，好处说好，既注意宏观把握，更看重个案研究。比如关于胡同四合院的改造，已经以法律形式定下的保护区里，我以为应该作这样的试点：由一至四家"领养"一所四合院，其余人家由政府安排到别处居住，然后先拆除沦为杂院后胡乱搭建的那些大小房屋，初步恢复原四合院的大格局，然后再逐步重绘垂花门，重砌月洞门，刷新影壁，完善游廊，加种花木等，最关键的是要增添现代化的卫生设备，经费嘛，应是政府补助与民间自费结合，政府应对"领养"者提供若干优惠。这样一个院一个院、一条胡同再一条胡同地扎实推进，订一个十年计划，最后使所有的保护区整修为真正的胡同、四合院景观区。其余不得不拆旧改新起楼回迁的地区，则应不懈地探索如何能使新旧融合的路数。比如日前完工的交道口地区危房改造工程，建成的楼房在临街的立面上搞了一组连续性的皮影浮雕，就属于相当不错的手法，这虽只是一个细节，其承传古都文脉的努力值得肯定。

那么，北京近二十年来如雨后春笋般拔地而起的高楼呢？你对它们作何感想？特别是，这个势头在比如说大北窑的 CBD 区域，还愈演愈烈，比如那个"巨型歪框"——中央电视台新楼设计方案，你是满心欢喜还是痛心疾首？不仅是朋友，就是一般知道我搞城市文化评论的人也会频频问我。我对北京关心爱惜，厘厘动情，对以上问题的思考，我更是心细如发，也就是把北京的每一缕"青丝"，都视为传统血脉的绵延，不允许随便地拔剃。虽然自己人微言轻，但作为一个定居逾半世纪的老市民，我评论的大前提是：恳请决策、规划、设计、施工诸部门人士牢记"牵一发动全身"这句话，"编新"一定要与"承古"巧妙地结合起来，稍有鲁莽疏忽，那就会伤害到至少已有 850 年建都史的北京城的人文肌理！我将陆续就这方面写出自己的感悟评论，供各方参考。正是：一厘一缕总关情，我以我心荐北京！

建筑师与业主

　　第二十届世界建筑师大会在北京功德圆满。我在电视上看到本届大会科学委员会主席吴良镛先生接受记者采访，他提出了一个观点，就是建筑师实际上有三个业主，一个是有地皮使用权和出钱的业主，一个是规划部门，一个则是广大的民众。因为他是临场口头表达，我是作为电视观众临时遭逢这一表述，不及录像，所以上面关于他观点的转述只是一个大概，恐怕未必准确。但建筑师与业主的关系，早在我琢磨之中，吴先生的电视亮相，促使我进一步梳理思绪，来写这篇文章。

　　我很荣幸，能以由中国建筑工业出版社这样的专业出版机构，在 1998 年出版了我的一本建筑评论和随笔集《我眼中的建筑与环境》，并能在第二十届世界建筑师大会开会前第二次印刷；尤其令我高兴的是，在 1999 年第二期《建筑师》杂志上，发表了一篇卢桦先生的批评文章，他对拙著中的外行话直率地予以指正。如我说北京西长安街上的中国人民银行"外表保持水泥原色"，他指出"外墙材料是石材，不是水泥。真用水泥建造，难度会更高，作为金融机构不可能有那样的勇气，会嫌寒碜。尽管事实全看如何设计。大概没解决好石材是湿铺还是干挂的问题，致使水迹斑斑老在返潮，仿佛外墙都是水房和厕所，而不是办公室。"他对我的"通读长安街"基本上是逐条进行"反弹"，行文波俏，举一反三，实在是我抛出的砖头所殷殷期待的一块美玉。他也偶有与我所见略同时，如对与北京饭店隔街相望的所谓"长安俱乐部"的批评，不过他用语更加尖刻："天下比这更让人难受的房子多得是。不过，在这样的城市中，在这个文明古都，这样重要的地段，又有资金保证，却诞生这么个玩意儿，就不由人不佩服拍板者的勇气和教养。"

卢桦先生是建筑师。他在批评我的建筑评论时，有时批评到同行，有时批评到业主。上面所举两例，都涉及对业主的批评。"作为金融机构不可能有那样的勇气，会嫌（直接使用水泥处理外墙）寒碜"，是比较温和的批评。我是建筑业的外行，更不知世界上是否有勇于用水泥外墙的金融机构，但我在美国参观过位于科罗拉多山麓的美国国家大气研究中心，那一组由贝聿铭设计的建筑就用了水泥墙面（其中掺入了就地取材的山石粉碎成的"石米"），立面效果与周遭的山野十分和谐。恐怕有勇气容纳建筑师这种粗犷风格的科研机构也不会多。卢桦先生对"长安俱乐部"业主的批评则非常严厉，所涉及的实际上是两个业主：一个是具体占有地皮使用权的出钱的业主，一个则是对北京城市整体风貌负有重责的规划部门，即第二业主。在我们当前的局面下，第二业主的拍板权是大于高于第一业主的，"不由人不佩服拍板者的勇气和教养"，这讽刺性的批评太刺耳了么？但卢桦先生此时是在以一个普通的市民身份说话，正如吴良镛先生所指出的，广大的市民对那些与他们日常视野息息相关的，想躲开不看，"眼不见为净"，却又无法逃逃，只好被动地，"不看也得看"的大房子，如长安街上的这栋"长安俱乐部"，作出反应，表示反感，乃至问一声"谁让盖的"，不但合情合理，而且应予法律保护——这是第三业主的声音。因为城市是属于全体市民的，只要其形体包括轮廓线为市民所共享，哪怕其内部并不为一般人开放，作为一个市民便拥有发言权，也不仅是评论，必要时，还可采取更进一步的行动。比如，我们报上也登过，国外曾有市民控告某些建筑物的业主，指控他们所盖出的建筑形成了非正常的气流，因而导致了自己身体受损，要求赔偿。这样的事件，如果在我们这里也发生，应该说是一种进步，这里头并没有什么崇洋媚外一类的问题。"三个业主论"，应划入人类共享文明的范畴。

　　不过，话说回来，第一业主，也就是提供资金的主儿，毕竟是最重要的业主。没有这样的业主接纳，任何建筑师都不可能施展自己的聪明才智。建筑师当然也可以为自己盖房子，也就是业主和建筑师的身份合二为一，不过，那充其量也就是为自己设计个私宅罢了，哪个建筑师甘愿只是小打小闹设计点小房子小院子呢？但大的项目，就得有财大气粗的业主来投资，人家既然是出钱的，当然就要对建筑师提出要求，并拥有最后的拍板权。于是，作为建筑师，就有个维系跟业主关系的问题，有个把自己的美学追求，与业主的功能性要求和审美趣味磨合的问题。现在许多大型的城市建筑项目，业主对设计都是采取招标的办法，你过分挑剔业主的"勇气和教养"，也许那业主的"勇气和教养"确实不敢恭维，但业主完全可以率先将你的设计方案淘汰出局，你的方案不管如何高妙，盖不成实体，总不能算数。我认识一位青年建筑师，他有许多令我看来耳目一新的创意图，也曾参与过几次不算太小的项目的招标活动，绘制出很具个性的效果图，甚至有两回还出了沙盘模型，但终于还是都被淘汰，或者说被埋没。这就比弄文学的狼狈，比如现在想公开发表小说，当然也需要与出版机构，与"一渠道"或"二渠道"的发行网磨合（最好"一二兼容"），但即使暂时不能出版，小说总还是小说，况且"东方不亮西方亮"，换几个地方试试，总不难找到出路，就是放一放，过些年再面世，也往往仍不失为一部佳作。搞建筑设计，你最后变不成实物，那就很难说是有了作品，也很难把为这个业主淘汰的设计，原样拿给别的业主去使用，而搁置多年的设计是否还会在以后"枯木逢春"呢？即使举出几个那样的例子，能以彼为激励吗？

于是乎，我们是不是可以这样说，优秀的建筑师，其素质之一，就是能对付最刁钻的业主，在业主所设定的框架里，使自己的审美追求和技术才能得到最大发挥，使自己的设计终于化为大地上具体的景观；最后业主很可能被历史的尘埃淹没，被后人遗忘，而建筑师所设计的佳构，成为一方名胜古迹，令一代又一代的地球生命所欣赏，所赞叹，建筑师也就因而百世流芳。中国过去比较轻视建筑师，许多非常优秀的古代建筑，都没能留下具体的建筑师的名字，但普通老百姓给这些优秀建筑师，赋予了一个"共名"——鲁班。有关鲁班的传说故事，往往采取了这样的结构方式：业主对建筑项目提出了哑谜般的奇诡要求，如在指定时限内满足不了那要求，则或是鲁班本人，或是求救于鲁班的匠人（设计者），便会遭受重罚乃至有性命之虞，但每次鲁班总是以超常的想象力与巧妙的技术处理，不仅达到了业主的要求，还创造出了美轮美奂的器物或建筑物。鲁班的故事里所贯穿的征服业主的勇气，与在忍耐中孕育出巧思奇技的教养，是不是完全过时了呢？

历史上有许多糟糕的、恶劣的业主：暴戾的皇帝，颟顸的贵族，大小军阀，恶霸乡绅，市井流氓，暴发户，黑社会老大，贪婪的资本家，伪善的传道者等等。但是就是这样一些业主，利用他们的权利和金钱，雇佣设计者、营造者所建成的宫室殿堂、宅院园林，留存到今天的，我们多半还是认为具有很高的艺术价值或文物价值，可见即使在这样一些业主的雇佣下，建筑师仍有可能创造出璀璨的作品。中外古今，例子太多。大的古的如埃及金字塔，小的近的如中国山西的乔家大院。这一事实是令人深思的。或许有人认为，意识形态束缚下的建筑设计，是不可能焕发出充沛的想象力，构建出具有永久性审美魅力的建筑的。这种见解经不起推敲。现在我们所一致赞叹与竭力保护的，明成祖所建成，在清代基本上没有大动的北京城"古都风貌"，无论是整个内外城的规模形状，中轴线的处理，紫禁城的布局，以及天、地、日、月等神坛的设计，完全是在"天人合一"、"皇权天授"等意识形态理念束缚下完成的，面对这些大体仍活现于我们面前的建筑物及其园林、环境配置，我们不能不佩服当年那些设计者在限定的框架里发挥其创造力的睿智与机敏。

我在《我眼中的建筑与环境》一书里，还没有表述过这样的思绪。把这样的思绪讲出来是否会令现在的中国建筑师们不快？我在书里也抨击过"长官意志"，"长官意志"在我们的第一业主和第二业主身上都存在，比如把"中国民族形式"简单地理解为"亭子顶"，把"现代化"或"国际气派"简单地理解为"玻璃幕墙"与"摩天式"，尤其令建筑师们不知所措的是，要问建筑设计是姓"社"还是姓"资"。这样的框架实在应该打破，为建筑师们解除掉这些束缚，也是第三业主——这在过去的时代是不存在的，明成祖时建成的北京城固然是个杰出的艺术品，却不可能在设计、建造时听取普通老百姓的意见——如我置身其中的当代市民群体，应该站出来为建筑师们请命的。但我还是要继续表达我的困惑：为什么北京城近二十年来令人气闷的大体量建筑是那么多，而令人欣喜的地标性建筑是那么少？难道问题都出在业主一方吗？

在卢桦先生批评我的《通读长安街》的文章中，他击中了我的要害，就是未能把整个长安街当做一个整体背景来思考。在他的文字里，他对第二业主——城市规划部门，以及位置还在规划部门之上的机构和官员，其实不仅是并不排斥他们的干预，还往往责怪他们在城市整体面貌的把握上，缺乏良性的干预，只满足于在几个环路内外以不同的尺度限高，或要求新建筑预让出今后必将拓宽的街面、人行道，以为那就是尽职，结果是听任"城市淹没在自我为中心的单体建筑的浮躁喧哗之中，破坏了城市空间的连续和完整"。比如建国门内大街很短的一段马路两厢，便呈现出粗壮厚重的建筑与纤巧柔靡的建筑紧相连属，令人见之扼腕，却又起码几十年里难以修改的怪相。

　　该干预的没能起到良性干预的作用，不该干预的却又去恶性干预，这是我们现在一些业主的常见病、多发病。这样的毛病确实需要治一治。现在我们都为北京有颐和园而自豪，它确实是一座世界罕见的夏宫。但它的业主是很恶劣的——慈禧太后为了一己的享乐，竟然挪用海军军费来修造这座园林。不知还能不能找到有关修造颐和园的档案，作为业主的慈禧本人有什么懿旨，作为业主代理人的官员又对设计者有什么具体指示，具体的设计方案，"烫样"，是怎么拍板的？慈禧究竟过问到什么程度？对设计者的构思、图样、审美追求干预到什么深度？……似乎是，不仅她并未很深入地介入具体的设计过程，就是业主代理人，也未必在功能性和总体美学要求之外，去对设计者的设计进行烦琐的"论证"。当然，倘若建成后慈禧太后不满意，她可以杀设计者的头，但并没有发生这样的事。我没能找到有关设计修造颐和园的资料，但偶翻清末民初何刚德所撰的《春明梦录》，此人在光绪年间曾奉命主持天坛祈年殿的重建，他记载此事说："余所办工程，以祈年殿为最钜，工费将及百万。祈年殿者，即上幸祈穀坛也。坛为雷火所击，全体毁焉……殿柱本用楠木，近时无此材料，以洋楠木代之。横卧于地，对面不能见人，其圆径之钜可想而知。殿顶以金镀之，在库领金六百两。中可容数十人，甚矣规模之宏壮也。"他作为业主代理人似乎只是把握资金、建材、规模、总体效果而已。这次重修事在光绪十五年即 1889 年。他对这座殿堂原是上圆下方，后来改为三层圆檐各为蓝、黄、绿色的攒尖顶，以及乾隆时改设计为三层檐全为蓝色等设计师美学上的推敲了无记载。可见那时候业主在政治上可能很没落腐朽，但在与建筑师的关系上，倒还给予了建筑师相当大的艺术想象与创新出奇的施展空间。这恐怕也是为什么在内忧外患那么深重的情况下，作为京剧这一艺术品种的最大享用者（也可以说是业主）的慈禧，能让京剧这朵艺术奇葩灿烂开放，以至给我们后人（也可以说为全人类）留下了一笔宝贵的文化遗产的根由吧。我当然不是要为慈禧太后评功摆好，不过，她的对建筑师、艺术家不作过多的专业性干预，甚至往往并不去进入其专业性的操作，只是"坐享其成"，这一点，恐怕还是值得我们多少想一想的吧。

第二十届国际建筑师大会，通过了吴良镛先生起草的《北京宪章》，这是一个高屋建瓴的文件，提出了在 21 世纪，要从传统建筑学走向强调综合的广义的建筑学，其原则包括走向建筑、地景、城市规划的融合；建立人居环境循环体系；面向全社会；重温建筑的综合性；创造和而不同的建筑文化等等。但站得再高，看得再远，建筑师和业主的关系，仍是关键性的一环。这一环磨合不好，所有的美好向往都可能泡汤。勇气和教养，对现代建筑师和第一、第二、第三业主来说，都是重要的；或许应该各有侧重；各方该把勇气与教养侧重于哪些方面呢？自问自答，你问我答，都必要。

建筑艺术与艺术建筑

最近听到"建筑呼唤艺术"的说法。告诉我这一说法的人士长期在北京居住、工作，他说不止他一个人持那样的诉求，显然，这与他们对北京城市迅猛增加的新建筑不甚满意有关。其实从上世纪 80 年代开始，新的城市建筑就越来越注意功能性与艺术性的统一、和谐，北京也不例外。那么，为什么仍会有这样的呼唤？值得认真地分析一下。

认为城市新建筑"缺艺术钙质",一个原因是这些人士没有仔细考察所有的城市新建筑,他们有点"远远地大略一望"就发出感慨的劲头。以北京为例,近些年其实很出现了一些不仅功能性很好,艺术上也相当成功的建筑作品。比如外研社大楼,它的外观造型、色彩配置、空间切割、与周遭环境的照应,都可以说艺术韵味浓酽。再比如长安街西边的一些金融机构的建筑,像中国银行的内庭园林、工商银行的玄关趣味、中国人民银行总行的外部造型,都是在艺术上下了工夫的。尽管人们在审美感受上会有差异,有的人还是认为它们在艺术上并不成功,但你总不能说这些建筑的设计者完全不懂得把建筑当做艺术品来创作,还需要我们来通过"呼唤"给他们启蒙。如果实践"建筑呼唤艺术",那我以为把城市新建筑里已经达到相当艺术高度的个案加以研究、宣谕,应该是第一步的工作。

认为城市新建筑艺术上"缺钙"的另一原因,确实也是因为"远远大略一望",竟无甚审美乐趣可言造成的。许多城市新建筑无论在设计上、施工上都挺舍得在"艺术性"上花钱花力气,比如造亭子顶,加琉璃瓦檐,使用玻璃幕墙,配置浮雕等装饰构件,但人们还是觉得它"无艺术",或者是"伪艺术",让人觉得不舒服。那么,这就确实需要"建筑呼唤艺术"。其要点是把"何谓建筑的艺术性"弄清楚。有的城市新建筑,比如北京长安街上的中国妇联建筑群,无论其业主,还是设计者,主观上都没有放弃艺术性,但就是讨不了大多数人的好,北京一些市民还用"大肚子"来嘲笑它,认为很难看。什么原因?就是因为业主要求设计者"切""妇女是半边天"这个"题",设计者想象力也有限,于是从概念出发,以两个半圆的弧形来体现"半边天"的概念,结果因为太生硬,过路的市民不认账,产生不出"半边天"的艺术联想,只觉得"大肚子"碍眼。还有一些城市新建筑为了"艺术性"大量采用中国或西方古典建筑的常用语汇,如亭子顶、尖塔钟楼,或频繁使用西方上世纪后期时髦过一阵而如今那边已经过气的玻璃幕墙、金属桁架。他们应该懂得,任何美妙语汇，都是新鲜出炉时惹人喜爱，一旦成为陈词滥调，那就都远离"艺术"而招人讨厌了。真正的艺术性，永远是和想象力，和创新意识，和独特性紧紧联系在一起的，"建筑呼唤艺术"，其实也就是呼唤想象力，呼唤创新，呼唤"独一无二"的"这一栋"。当然真正达到这样的境界并不容易。不要过分诟病北京的城市新建筑，其实世界上其他城市，也绝不是满眼理想的新建筑，像悉尼歌剧院那样的建筑艺术精品在全球也属凤毛麟角。

对于城市新建筑的不满意，一般人士往往只去责备设计者。其实建筑设计这一行虽然可以归入艺术的范畴，但建筑设计师的艺术创造却跟其他艺术门类的创造不同。比如画家如果不喜欢某种题材某种画法他可以不画，他另画别的去就是了；但建筑设计师如果不能满足业主的要求，业主就会抛弃他的方案，他的设计也就永远停留在纸面而无法成为一件真实的作品。试想中国妇联建筑群的设计者如果不能适应业主的一道道一次次的审核，最终去体现出业主的意志和艺术趣味，那么，他的设计方案一旦被否决，难道他自己能另去造一座"中国妇联"以满足社会对建筑艺术性的呼唤？那是绝无可能的。因此，城市新建筑的艺术性，其实首先决定于业主的审美趣味以及对艺术的尊重程度。最好能多一些这样的业主，他除了对功能性，以及他究竟能投资到什么程度，对建筑设计师加以明确限定外，对建筑设计师的艺术想象完全不设前提，尤其不去要求建筑设计师图解他所喜欢的概念，更不要自以为是，在审查设计方案时绝不充当艺术内行，不做艺术性方面的裁判。这样的业主多了，我们的城市新建筑的艺术性也就可望大面积地提升起来。

严格而言，建筑艺术与艺术建筑是两个有区别的概念。建筑艺术，是指在建筑的诸因素里，有艺术性这样一个要素，搞建筑，要注意到这一要素，给予充分的重视。但世界上绝大多数建筑，是功能性第一的，有的建筑甚至是百分之一百地要求体现功能，只有欣赏价值而无实际功能的建筑物，几乎是不存在的。当然城市雕塑那样的基本上属于建筑配件的东西，只是为了观赏而不能拿来使用，但只要是带有"屋子"、"庭院"、"广场"、"桥梁"、"道路"等性质的建筑，那就绝不能充满艺术性而无法或不方便使用。如今世界上有一派建筑师，对建筑的功能性第一大彻大悟后，爽性不再脱离功能性去讲究什么艺术性，他们就唯建筑的功能性是从，在彻底摒弃一切非功能性的因素后，化功能本身为艺术，也就是所谓的"唯功能主义"，巴黎的蓬皮杜文化中心就是这一派的代表作。那么，有没有把艺术性放在第一位，完全是搞艺术建筑设计的呢？应该说也是有的。有的建筑师发了点财，给自己设计住宅别墅，这回他就是业主，钱自己出，爱怎么盖怎么盖，根本不需要去争标悦人，于是充分放纵自己的艺术想象力，既可以百分之一百地以功能体现艺术幻想，也可以为艺术而艺术，爱怎么牺牲功能性怎么牺牲，把自己心中钟爱的幻象化为活生生的现实。还有的是那业主的财力和品位达到了一定层次，于是只出一个题目，然后由着建筑师去尽兴发挥，像获得了威尼斯双年奖的北京"长城公社"别墅群，就大体近于是这样的产物。据说这些别墅将当做高级休闲空间租给想使用它们的人士，但说实在的，倘若是只要求物质上舒适而没有审美情趣的人士，恐怕也未必会花高价到那里头去小住。那些别墅实在都是些艺术品，每栋风格各异，都有"讲头"，对于租用者来说，欣赏第一，使用第二，估计这样的艺术建筑要收回成本，是比较难的。

"建筑呼唤艺术"，看来一方面建筑界人士特别是建筑设计师本身要提高自己的审美品位、文化修养、艺术想象力和创新勇气；另一方面，城市新建筑的各方业主，特别是大型公共共享建筑的业主——往往是些行政长官——也一定要提高自己的素养，而且特别应该注意给设计者开放尽可能开阔的，在艺术上自由挥洒想象与锐意创新的空间。

从大挂历到大沙盘

上世纪 80 年代初，流行大挂历，那些大挂历上印的大画，最多的是两种，一种是美女头像，另一种就是"西洋景"。比如一套挂历上按月份出现的大镜头是：法国巴黎艾菲尔铁塔、英国伦敦国会大厦和大笨钟、德国科隆大教堂、澳大利亚悉尼歌剧院、意大利罗马特来维大喷泉、加拿大多伦多市政厅、美国旧金山渔人码头、西班牙巴塞罗那大教堂、比利时市政厅大广场、荷兰阿姆斯特丹运河边街景、丹麦哥本哈根"海的女儿"铜雕、莫斯科红场全景。这种"西洋景"大挂历成为那时候中国老百姓视野与世界接轨的重要媒介，人们不仅兴致勃勃地买来挂在家里作为一种时尚装饰，也买来作为鲜丽的礼物馈赠亲朋好友，单位、机构之间也用之作为公关活动的见面礼。往往那挂历已经过了时限，人们还舍不得抛弃。我就在云南边陲和东北农村的乡间，看到用那样的过时挂历当做漂亮的糊墙纸，来装裱自己居室的。像上面举例的那种"西洋景"挂历，后来又逐渐演变成以表现西方的现代建筑为主。现代建筑开头选择的图像多半是公共建筑，如市政厅、博物馆、图书馆、游乐场等等，后来又逐渐地以民居为主，从大型公寓楼，到连体别墅式住宅，到单栋的别墅……再后来，图像又逐渐演变为室内装饰。

大挂历到上世纪 90 年代开始衰微，进入现在这个世纪，已近乎绝响。但是，大挂历功不可没，其中最重要的一个功能，就是无形中培养出了当今购房市民与房地产开发商双方的美学趣味。

回想二十来年前的那些大挂历，它们普及了西方的古典建筑经典，更以西方现代城市的生活方式熏陶了现在有购房能力的中国市民。尽管会有种种例外，但就当今大多数的中国城市购房者而言，他们所向往的，主要是所谓"欧陆风情"的居所。

这"欧陆风情"当然是一个并不严格的概念，英国虽属欧洲却并非"欧陆"，美国、加拿大、澳大利亚等处更绝非"欧陆"，但英、美、加、澳等地的建筑或与"欧陆"相近，或者干脆就没有什么区别。美、加、澳等处的白人许多就是"欧陆"移民的后裔，他们的美学趣味与生活习俗自然融会贯通。"欧陆风情"的楼盘，大体而言，就是居室内部具有西欧发达国家那样的特色，重视人本位，追求现代感，尽量让人住进去就觉得自己跟西方一般城市居民的生活享受"水流平"了。而楼盘里的公用共享空间，如庭院绿地、园林小品、苑门会所，则多半会从西欧古典建筑艺术里汲取灵感，有的简直就拷贝出一些名堂来，如威尼斯拱桥、凡尔塞喷泉、日内瓦花钟什么的。当然，规模会小一些，意思点到为止。

在当今的房展会上，我们会看到许多的大沙盘。大挂历变成了大沙盘，神往开始化为现实，面对二十多年来改革开放的沧桑巨变，中国人首先应该感到自豪。

十多年前，开发商在使用"欧陆风情"这个符码时，往往还失之于笼统，现在，许多开发商意识到，必须更精确地定位，才能从房地产市场的大蛋糕上切下自己想享用的那一牙；于是，就有了比如说德式住宅、瑞士风格、北欧风格、法式公寓英式管理等排他凸己的定位；有的更进一步缩小风格范畴，以期能满足那些喜欢拥有独特性的购房者的心理需求，比如强调那楼盘是"小蒙的卡罗"，是"莱蒙湖风情"，是"维也纳近郊"，是"温莎新城"……更有把一些西欧地名加以篡改变通，甚至杜撰出几可乱真的"欧陆"符码来的，比如香丽榭、布蓝登、林克布鲁、和乔丽晶……别出心裁，不一而足。

无庸讳言，房地产开发中的"欧陆风情"热，是全球一体化态势下，集体无意识的派生物。目前城市中最具购房能力，也是银行最乐于接受的按揭对象，是大量年轻的白领，他们之间在生活情趣与审美取向上当然会有这样那样的差别，但其共同的心象，却就是对西方发达国家城市居住方式的向往。房地产商既然瞄准了这样一个消费群体，在设计制作上尽量满足他们的欲望，是必然的。很难想象目前会有开发商标榜他们的楼盘是缅甸民居式的或布隆迪风情的，一定会有偏偏喜欢那种独特房舍的消费者，但其数目一定不会达到能使那样的开发商在销售中不赔有赚的程度，哪一个开发商会冒那样的风险呢？这或许会让一些喜欢作形而上思考的人们产生深深的焦虑，这里面是不是埋伏着"后殖民"的弊端？我的看法比较圆通，我以为，把"欧陆风情"的房舍样式和与其相配套的生活方式看成是"人类共享文明"，也就不必焦虑了。正如中餐也成为了"人类共享文明"，西方人吃了中餐并不会就被中国饮食文化给"殖民"了一样，中国人住进"欧陆风情"的房舍，坐抽水马桶，享用跟明清太师椅很不一样的洋式沙发，还在有落地玻璃窗的阳台上喝英式下午茶，也并不意味着是被西方文化给"后殖民"了。我们不是可以西装穿在身，而心还是中国心吗？房舍是我们人生中的大衣服，也完全可以"欧陆风情虽然穿在身，我的心依然还是中国心"嘛！

当然，中国的房地产开发绝不会停留在眼下这种"欧陆风情为时尚"的阶段，事态会发展，时尚会演变，对"后殖民"的警惕以及那种真诚的焦虑，也会化为一种推动力，促使我们的房地产开发逐渐地成熟起来，一种吸收了包括"欧陆风情"及世界各地各民族民居优点在内的，显现出我们新一代风格气派的中国式民居，可望在不久的将来大量涌现！

园成景备特精奇

地产与房产紧密相联，但有了土地使用权的开发商一般都不是用房子将那地面填满，而是一定要把房子与园林相结合，营造出一处好的人居处所来。城市中的房地产项目，时兴用"花园"、"广场"或"××城"命名，是从香港那边传过来的。有的人对"花园"、"广场"的符码反感，认为你楼盘就是楼盘，不直说，用"花园"、"广场"来迷惑人，不地道。但对"××城"这样的符码，却比较能够接受，因为一处楼盘构成了一个相对独立的社区，说它是"城中城"，比说它是一个"花园"或"广场"要贴切得多。

像北京这样的古城，它本来也有"城中城"，皇帝居住的紫禁城就是一处最大的"城中城"，其余的城市建筑其实都是因为服务于紫禁城而存在的，在建筑制式与城市布局上，突出紫禁城而淡化其他，因此过去有人形容北京是"半城宫墙半城树"，红墙黄瓦的宫墙在蓝天白云下被万丛绿树掩映，威严而富有诗意。远了不说，明清两代的北京城，贵族豪宅的院墙会比一般平民百姓的胡同四合院宅墙高一些，但一般也都是灰墙，墙内或许会有一些高树耸露出树冠，但里面的建筑一般是隔墙难见的。这种外敛的形式当然主要是皇权威严下硬性规定的产物，那时候如果逾制造宅起园是会被治罪杀头的，但客观上也使得北京这座城市的整体风格和谐优美。晚清时有的西洋人有机会进入一派灰黑色的胡同里的某些院落，不仅那些府邸豪宅内部的华丽精妙令他们目瞪口呆，就是一般的四合院，在灰色的墙壁与黑色的瓦顶下，竟隐藏着那么丰富多彩变化多端的居住空间，也令他们叹为观止。那些大大小小的"外敛内放"的院落房舍，其实也就相当于如今的"××城"。

但是现在北京的房地产开发，遇到的首要问题就是如何使所开发的项目与周边的老城环境协调，特别是如何从宏观上起到维护古都风貌的作用。虽说现在也有若干具有法律法规性质的规划细则，如哪些区域是必须保留的，在不同的地域有不同的限高尺度，等等，但毕竟已经不是皇权社会，控制把握起来就很难是违者杀无赦，实际上若干有关规定，如限高，已经一再地被突破。现代建筑往往是些体积庞大耗资不菲的坚固存在，一经落成即成为难以改动更难消除的事实，人们多半只好从难以容忍逐渐地变得眼熟相认。我们的城市就在这样的情势下，雨后蘑菇般地冒出来许多崭新的"城中城"。话虽这样说，我觉得开发商们还是应当严格遵守有关城市总体规划的各项细则，特别是要在维护城市总体的传统面貌方面，多用心思，多下工夫。现在的新楼盘，已经不可能再像当年的贵族富商的豪宅那样外敛了，因为当年的"城中城"一律是平面发展，而现在的"城中城"则多半是高耸式难匿其外立面于围墙之内，有的更简直没有什么围墙。这样，现在的"城中城"与旧城在文化意蕴上的历史传承关系，如何体现于外立面即天际轮廓线，便成为了一个非常重要的建筑美学方面的课题。

现在的各个"城中城"，其内部社区的房舍园林布局更加开放，形成多种多样的追求。有的标榜欧陆风情，而且具体到比如说是德国风味、北欧风格或瑞士风情；有的营造成中国古典园林氛围；有的强调质朴，有的炫耀豪华，有的突出亲水性，有的宣传光效果……也有"后现代主义"的那种"同一空间中不同时间并置"式的趣味。这是很好的兆头。这给不同的消费者有了更多样的选择，人们在选择"城中城"时不仅可以从价位、功能性、方便性等方面货比三家，更可以从营造风格中选择出与自己性格爱好相协调的品种。《红楼梦》在元妃省亲的情节里写到诸钗奉命题咏，林黛玉有两句"借得山川秀，添来景物新"，算是把建造"城中城"的美学原理说透彻了，但贾迎春的一句"园成景备特精奇"似乎更是这一原理的浓缩。我们都知道迎春在《红楼梦》诸小姐里是最不擅作诗的，好在我们现在并不是要向她学习作诗，而是要从她吟出的这七个字里去体味营造"城中城"的诀窍,而其中的两个字——"精"与"奇",尤其醒目警心,我们一定要把现代的"城中城"建造成具有奇特魅力的精品楼盘!

城市广场的伦理定位

北京自上世纪中期到 90 年代,严格意义上的城市广场只有一个,那就是天安门广场。尽管这是唯一的广场,却是全中国乃至全世界面积最大的城市广场。这个广场凸显着政治伦理意味。特别是当中的人民英雄纪念碑,仿佛天平的支柱,而一边的历史博物馆与另一边的人民大会堂,仿佛均衡的天平托盘,格外庄严肃穆。在这个广场举行的盛大的游行集会、隆重的阅兵迎宾,以及每天清晨的升国旗等活动,使个体生命在其中获得与民族、国家、集体、时代、权利、义务的沟通与认同。近些年来,每逢"五·一"国际劳动节和"十·一"国庆节,广场都要布置出巨大的花坛,并且以一系列切合最新形势的富有教化意义的造型,形成赏心悦目的象征性符码。北京市民举家前往观赏,拍照留念,以及外来留京人士,包括大量中外旅游者的参观流连,都使一种中国通过改革开放而繁荣富强以及傲立世界民族之林的气势,强烈地注入了进入广场的每一个人的胸臆。

新世纪初,北京在城市规划与建造中体现出了一种觉醒,就是意识到仅仅有天安门广场那样一个政治伦理定位的城市广场是不够的,不能适应时代发展中的市民需求。于是在西单闹市区开辟了一个文化广场。它以文化命名，当中有高耸的锥形玻璃塔，布置了介于具象与抽象之间的大型彩色风筝钢塑，在第一平面上，营造出露天看台，布置了花坛绿地和园林小品，并且由第一平面引入第二平面，在下陷的平面里，有科学普及的展览橱窗。利用这个广场普及科学知识的想法是值得称道的。整个广场的设计堪称生动活泼。但是，我觉得其伦理定位还不够自觉。广场周边主要是些商厦，还有北京最大的书店，以及重要的金融机构，地铁跟它自然衔接，民航售票楼、著名的首都电影院离它都不远，更有无数大大小小风味各异的餐馆分布周边，因此，这个广场的第一功能应是市民在采购、逛街、约会、吃喝玩乐，以及途经过程里的一个"休止符"。虽然在这个休闲的空间里顺便增添一些科学文化知识是所有来此的市民乐于接受的，至少不会排拒，但现在这个空间里却缺乏供市民在其中"休止"的具体安排，免费座椅不够，露天吧的营业没有很好地组织，甚至供人们流连其中的散步甬道也设置有限，以至一些市民不得不践踏草坪。有关部门似乎热衷于在这个广场上时不时地组织一些集会式的宣传活动，却没有重视其日常性功能的充分开发。其实，这个广场应突出这样的伦理定位——使进入享用的市民在劳动／休息、贡献／享受、喧嚣／宁静、公众／私密、忘我／自爱等方面获得心理平衡与情感慰藉。

王府井步行街北端的广场，是把原来深藏的天主教堂的围墙拆掉，只保留圆拱形门面，再略加装点改造而成。这个创意非常之好。现在那里成为北京一处优美独特的景观。孤零而古旧的西欧罗马式教堂建筑，与周边密集簇新的现代派、后现代派商业建筑，形成非常强烈的视觉反差，能够引发出许多联想。这个广场的伦理定位，则应是启发进入其中的市民在历史／现实、东方／西方、封闭／开放、一元／多元、冲突／和解等方面有所感悟。这个广场现在的缺点也是没有提供充裕的坐憩、徘徊、凝思、放松的方便。

　　城市广场可以有多种形态，新建成的北京皇城根遗址公园因为是完全敞开并处于街区之中，因此它也就具有广场的功能。它是窄长条形状的，北起平安大道，南至华龙街，绵延约三公里多。在公园北端，刻意复原了一段当年红墙黄瓦的皇城城墙，提醒人们现在"黄城根"的称谓是帝制结束后，由"皇城根"演化而来的。这个可以从任何一个地段随意进入的广场，设计得非常人性化，或者说市民化。它把老北京的胡同、四合院的一些基本元素糅合进去，把悠远的历史感与俗世的琐屑乐趣巧妙地交融起来，其间有藤萝架、大小花圃、棋桌茶凳，点缀了若干民俗性雕塑，引入了从西方传来的"水法"，也利用比如说小女孩操作电脑这样的造型营造出时代的亮斑。它在每一种植物上都标出其品种，其中有北京特有的太平花；它不仅安置了若干明确的座椅以便市民坐憩，其藤萝架下部的围栏，以及所有花台周边的砖石围护，在尺寸上都恰好能使一般人坐上去觉得舒适；它既有幽径，也有相当开旷的空间，情侣不难找到较为隐秘的角落，而晨练与昏舞的中老年人也有合宜的集体活动场所。我以为这是目前北京城市广场里把伦理定位体现得最充分的一例。它使旧北京／新北京、老北京人／北京新一代、传统／发展、皇家／平民、大国家／小家庭、大气象／小趣味、生存的严肃性／生活的琐碎性、奋进追求／随遇而安等等方面的伦理内涵，通过每一个细节潜移默化到在那里消遣消闲的市民意识之中。

　　一位名叫汉斯·侯雷恩（Hans Hollein）的西方学者说："建筑是一种由建筑物来实现的精神上的秩序。"这见解是对的。城市广场因其巨大的公共性，成为所有建筑中最能体现社会伦理秩序的重要空间。现在中国各个城市都在建造城市广场，有的城市的休闲广场建设已经走在了北京前面。给每一个规划、建造中的城市广场以恰如其分的伦理定位，这是有关部门和人士应认真研究的课题。

步行街的心理空间

城市商业区的步行街，是市民共享的重要活动空间。最早，步行街的出现仅仅是出于解除交通上出现的困局，禁止车辆通行，开放整个马路以供众多逛街的人们步行，是一种被动的应变措施。后来，人们渐渐从被动到主动，注意把步行街布置得亮丽舒适，步行街的功能性得以展拓。比如北京的王府井步行街，平整的地砖路面宽阔通畅，便于人们徜徉其中；选择银杏树作行道树，突出中国特色（这是中国独有的雌雄异体的乔木）；点缀"祥子拉车"等雕塑小品，以丰富步行其间的"京味情趣"；在百货大楼前设立劳动模范张秉贵的胸雕，体现时代的贯穿性，具有教化功能；安排若干冷热饮摊档，提供购物、闲逛后小憩的场所；时常灵活安排一些街头展览和演出，把步行与观览的乐趣融为一炉；当然，建筑物上的霓虹灯，特别是超大电视屏幕的设置，以及高低有致的花柱、花缸，把这一步行空间装饰得花团锦簇，吸引无数眼球，使欢娱得以由眼入心……这些细节化的空间处理，说明这条步行街在空间配置上，从一般的行为功能性方面考察，可以说已经达到相当不错的程度。

但是，建筑空间的配置，不能仅仅从人的行为方式这一层面上去考虑。支配人行为的，是心理。步行街的空间配置，也应该注意到心理空间这一重要层面。人们为什么聚集到步行街来？其行为的共同性，是消费。但具有共同行为的人，其心理上却是分流的。注意针对不同的合理心理需求配置步行街的空间，应该是规划设计者的题中之义。

我认识一位女士，她坦言休假日爱去步行街，但对于她来说，消费是次要的，展示自己则是主要的。她每次去那地方之前都要细心打扮，不仅面部化妆和修理发型要费去许多时间，在衣着的每个细节上，更是色色精细，佩戴什么首饰、鞋袜、手袋等等方面，经常要变换搭配再三，直到觉得天衣无缝、尽善尽美，才终于出发前往步行街。在那街上她常常是来回地走上几遍，自我欣赏，也希望别人能够欣赏。我认识的一位小伙子，邋邋遢遢，却也有类似的炫示心理，他经常会穿上不知从哪儿搞来的"独一份"的"文化衫"，到步行街去招摇过市。相信有这类炫示心理的人还很不少。生命是花朵，装扮好的生命本来就具有欣赏价值。这种在公众共享空间里炫示自己的心理是健康的，益己娱人的，因此，步行街应当设计出恰当的炫示空间。比如在街道某侧可以有宽宽的浅台阶，不必像服装模特儿走的 T 形台那么露骨，可以略呈弧面形，含蓄甚至含混，但是可以起到行于上时自我感觉特别良好，而走在旁边的人会自然对之瞩目的效应。在步行街上也可以允许在指定的路段进行艺术或才技的炫示，那一路段的空间配置如能精心设计，比如利用商厦交接处的凹进，或某些风雨廊中的不妨碍进出处，约定俗成地总容纳些演奏乐器、表演简单杂技的自娱娱人者，也能构成生动的一景。

　　与炫示相反的心理，是躲避。一位从事基础科学研究的老教授说，他偶尔会特意去行人如过江之鲫的步行街，不为别的，专为静心。所谓"大隐隐于市"，唯其置身在那样的环境里，遇见同行的机遇才会降到最低，目所见耳所闻身所感与自己专业领域的东西完全不搭界。漫步在那样的地方，任人流从自己身边泻过，脑子里暂时什么也不想，那感觉真比酣睡还要甜蜜。当然一般俗众或许难以进入他的境界，但我也知道有不少人会在感到孤独、苦闷、焦虑时，跑到步行街去默默踱步，这实际上也是一种躲藏或者说是逃避。这种暂时性的躲避，让自己"淹没在人流中"，不失为一种心理自疗手段。这样的女性多半会进入步行街的商店里疯狂购物，男性则多半会到餐馆酒吧自斟自饮，针对这样的一个心理族群，步行街应该配置一些独处空间。从最小处说，应该有一些只容一人的座椅，当然这样的单人座椅不能设置得太生硬,要巧妙而得体。我曾在法国一处街心公园看到过这样的设置:环绕一棵大树一圈座椅,有几处故意"裂开",这几处"裂缝"很自然地将座椅分配为一个三人椅、两个情侣椅和若干单人椅,使不同心理状态的人各得其所。

步行街上的人群里,家族同行,以及旅游团集体观光,是最常见的,"全家福"的心理,"观光乐"的心理,是昂扬而强烈的。尽管整个步行街周边的商业建筑里已经充满了满足他们心理需求的丰富空间,但街道本身也应该尽可能地去满足他们的心理需求。以北京王府井步行街为例,它在满足这种心理需求的空间配置上考虑得还不够周到。想体验"全家福"的人士往往不能在街头饮食摊档那里找到合适的座位,而且无论是国内同胞还是海外游客想以街道背景拍照留念,都很难找到层次丰富多彩的有景深的"经典背景"。这就牵扯到街上建筑与步行道的空间切割问题,是否有点太规整平齐了?街道相当宽,这是优点,但两边的建筑因此缺乏勾连呼应,难道就一定不能修建出高跨街道的透明而封闭的过街楼?目前临街的绝大多数商店都要么以墙壁要么以橱窗面对步行街,其实,建筑立面应该有落地玻璃窗,设置能够临窗把步行人流当成风景细品的餐馆酒(水)吧;建筑立面还应有透明通道或观览电梯,使"步行"的情趣里外交融。

城市步行街往往是以高档消费品与高规格服务为重点的商业空间,当然它也兼顾中、低档的消费,但如果中、低档的商业空间比重大了,那也就失却了它的意义与魅力。像王府井步行街这样的空间,我甚至以为应该是完全去除低档的东西。市民有贫富之分,但逛高档步行街的权利人人均等,相对还不那么富裕的市民,也能偶尔到这里豪华消费一回,或者不一定消费,而是仅仅来逛逛,也是一种精神消费,不应对此嗤之以鼻。外地民工,过年回乡以前,也会到这里买些高档品回去,以体现自己的劳动价值和人格尊严;非富人阶层的外地来京者,也会以逛这步行街为进京的乐趣。因此,步行街的空间配置上,应该大大增加体现人格平等的免费休闲空间。

比如可以在街道一定区域开辟下陷式环形阶梯广场，其间可以设置美丽的喷泉、绚丽的花坛，那些阶梯的高度应该恰是座椅的高度，所提供的坐憩位非常丰富，搁放购物袋等随身物品也非常便当，在那里无论独处还是小聚，无论吃些零食喝些饮料还是什么闲钱也不再花，却都能获得与进入那些收费不菲的高档餐饮店类似的快乐。其实一些大富之人也会到这样的空间里去寻觅"素面朝天"之乐。步行街应该是一处令社会各阶层关系得以调合润滑的良性空间。

维护城市传统情调空间

　　城市空间布局除了以功能性划分，还可以从不同的角度加以区别，比如，以情调为前提考察，则可以发现若干不同的情调空间。城市的情调空间有的是初建时规划中的题中之义，最无可争议的例子是北京紫禁城，那至高无上、金碧辉煌的皇家气派是事先设定好，再加以实现的。有的情调空间则是逐步形成的，比如北京王府井商业区，从地名就可以揣想，最早那里一定不是商贾聚集之地，是城市的社会生活发展到某一阶段，借助某一契机，渐进形成的。事实正是这样，它是在清末才成为方便宫中采买百货用品的市集，民国后随着城市消费欲望的膨胀与商业活动的多样化，才成为以东安市场为核心的俗市繁华情调的典型空间。现在王府井虽然成为了一条糅合进许多现代、后现代色彩的商业步行街，但从承继晚清以来的城市传统情调方面来说，它可以说是风采依旧，或者说是繁华不减当年，更可以说是旧曲新弹声韵更圆。大体而言，像北京、南京这类的古城，其情调空间在规划时就设定好的居多。而像上海一样的近代史上因强迫通商而开埠的码头城市，其情调空间则多是在其迅速膨胀的过程里超事先规划冒出来的，如同杂花生树、群莺乱舞，随市民欲望而无序显现，由时代变迁中各利益集团的摩擦妥协而剪裁。

之所以想就这个话题发言，是因为遇到个案的刺激。个案就是眼下北京的什刹海。什刹海在元代就是一处重要的城市水域，在明成祖为迁都而建造北京城时，规划里很显然是要在这片居于城市中轴线西北侧，紧邻极为重要的标志性建筑钟楼与鼓楼的水域，保留并刻意加重处理为一处富于野趣的情调空间，这一规划实施得很认真，而且在清代得到延续，其最大的特点有二，一是营造出了"银锭观山"的意趣，银锭桥是跨越什刹海后海与前海的咽喉部位的单拱石桥，晴天时站在桥上西望，可以望见一脉青黛色的远郊山影，那不仅是美丽的景色，其深刻的意蕴是把繁华的城市与恬静的山野通过视觉"望点"上的享受，在市民心灵里注进一种禅悟，这也与分布在河岸各处的庙宇（有说恰好十座，有说因大小宗派不一，故以"什刹"名湖）的总体情调相谐。其第二特点是不让街市商业气氛来浸染这处水域。直到十来年前，这里大体还保持着明清时代那"都市中的野景"情调，特别是后海部分。前海部分，晚清以来大体而言只有两处明显的商业景观，一是银锭桥东北湖岸，通往鼓楼前的烟袋斜街南口一侧，有一家著名的烤肉季饭庄，它铺面不大，直到今天几经翻修，体量也还得体，形态也保持着古建的风貌，从来没有影响到什刹海那朴实恬静的总体情调；二是前海西岸每逢夏日有临时的荷花市场，供应最大众化的北京小吃，特别是廉价的消暑饮食，附带还供应些民俗玩具，穿插些民俗表演，虽说人气旺盛时也相当热闹，但与固定店铺的喧嚣街市景象大异，所构成的是"都城里的乡集"情调，与其传统的空间情调并不相悖。眼下的什刹海呢，我以为其传统情调空间的特色正面临沦丧的威胁！

　　什刹海周边地区的大片胡同、四合院，已被北京市政府划定为作为古城传统景观加以保护的区域。这是非常好的决定。近年来有旅游公司在这个地区开展了由三轮车夫拉着游客深入其间的"胡同游"，生意很火，不仅老外盛赞特色盎然，国内游客也纷纷竖起拇指。这项活动的陆上游部分，我觉得没有什么不妥之处。但越来越热烈的什刹海水上游，我以为渐入歧途。本来，在什刹海湖面上引进些江南船夫船娘，以乡野式木船营造出区别于其他公园的游船嬉戏氛围，是件好事，但现在游船数量增加得太多，有些大点的游船上还排开酒宴，一些非乡野风格的从形态到色彩都很"闹"的游船也掺杂其间，更有人把"桨声灯影里的秦淮河"改换成"桨声灯影里的什刹海"，以为是道出了或预告出了什刹海的"繁华艳丽"。这让我很着急。我要跟这些如果不是故意误导就是实在糊涂的人士说不。须知什刹海是北京城至为可贵的传统"野趣空间"，千万不能把它变成南京的秦淮河！不是说秦淮河不好，在南京，秦淮河本是青楼聚集之地，六朝金粉，笙歌聒耳，从传统上说，它的桨声灯影，是烂熟的城市消费文化的音像，与山野禅静根本是两种情调，如今南京对这一传统空间的处理，是去除了色情消费的糟粕，将其修建为一处展示南京特色餐饮风味小吃精华的口福空间，我以为是得体的，但南京也有与秦淮旧迹完全异趣的情调空间，比如玄武湖，秦淮"闹"而玄武"静"，秦淮重口福而玄武重眼福，它们在南京这座古城里分割出不同的情调空间以飨市民。这样回过头来想想北京的什刹海，如果不是将它与南京的玄武湖比开阔静谧，而是拿它去与秦淮河比浓妆艳抹，岂不是思路大谬么！

　　什刹海湖里游船的调整，只要确定好了前提，实施起来不会很难。更严重的问题是，前海周遭目前几乎已被固定的商业店铺包围。有人说原来在北京繁荣过的三里屯酒吧一条街已经渐趋衰落，现在北京最火的酒吧一条街，正在什刹海呈环状生成之势！酒吧是北京古城传统里原来没有的东西，就是退回二十年，也几乎没有酒吧，更遑论什么酒吧一条街。原来没有的东西，随着城市新一代居民的欲望而产生、发展，是很自然的事。笔者虽然上了年纪，也还去酒吧，觉得那是都市新一代，特别是白领一族，又尤其是恋人们的福地，对他们青睐那样的半晦半明的准私密空间，不仅理解，还很欣赏。但我觉得酒吧虽好，什刹海畔的某几处角落也无妨分布一点，却绝不能在什刹海周遭去形成什么酒吧一条街！现在什刹海边的建筑物，还不仅是酒吧，前海西岸搞了一排华丽的琉璃瓦装饰的仿古建筑，号称是延续原来的"荷花市场"，其实完全没有当年荷花市场的乡土野气，成了一条憋气的胡同；前海北岸则更早就盖出了些宫廷园林式的大亭子和游廊，原来走在那岸边视野是通透的，可以欣赏湖光荷影，现在很大一段是被遮蔽的；还有许多大大小小的餐馆，从前海岸边已经向后海岸边延伸挺进；连原本视野最通透的前海南岸，现在也密布遮蔽湖光的餐饮小店，随着夏日来临，露天餐饮座不仅嵌满湖岸，还深入了小树林里，并且总有摇滚乐流行曲透过露天音箱大肆喧嚣；站在银锭桥上，西望早已破相——有不该盖在"银锭观山"这"燕京十六景"中最绝妙一景望点线上的楼房切断了山影，近处的景观也渐失"荆钗布裙"的村姑之美，加上如今不少顾客是开私家车去湖边消费的，傍晚时岸边经常车辆成阵，更令原有的传统空间情调被荼毒殆尽。我呼吁，追求酒吧情调，欲饱口福，爱逛闹市的消费者，请另觅他处，如来什刹海，请以享受野趣为旨，最好是车停湖域外，步行款款入，入则勿喧闹，最好有禅悟。

几乎所有城市里的传统情调空间都应当尽量维护。以北京为例，正阳门外的大栅栏商业街、永定门内的天桥民俗游乐场、和平门外琉璃厂的古玩店旧书肆、朝阳门外东岳庙内外……都有着亟待进一步恢复与调理的各具特色的传统情调空间，这些情调曾经给我们先人带来过生活在这一城市中的俗世欢乐与心灵抚慰，并且可以继续给当下的城市生命以消费乐趣及心灵润泽，但我要强调，"都市野趣"这样的城市情调空间，在目前显得尤为可贵。世界上许多国家的城市都懂得珍惜、维护这样的情调空间，比如瑞士日内瓦，它始终不让商业区域侵入莱蒙湖畔，刻意地保持住这个位于城市心脏部位的阔大空间的牧歌情调；再比如法国巴黎香榭丽合大街与凯旋门相应的终端，一直保留着一个富于野趣的"闹中静"空间，绝不会忽然觉得"如此好的地段，何不将餐馆酒吧延伸到此成为一条地地道道的'金街'"？还有马来西亚的吉隆坡，那里造起了世界最高的双塔摩天楼，却也还固执地在城市里保留着许多似乎是让树木花草野生野长的旷地。世界上维护传统情调空间的好经验我们一定要好好借鉴。这也不仅仅是北京什刹海区域特有的问题。在中国经济迅猛发展，城市改造变本加厉的形势下，各级行政主管部门，特别是规划、建设部门，还有工商管理等相关机构，到了高度重视、协调解决这类问题的紧迫期了。从民间舆论方面来说，这方面的讨论、整合也很重要，希望我的这一声音，能汇入其中，引出应有的回响。

欧陆何风情？

一位老同事约我到一家咖啡馆会面，电话里跟我说："那可是十足的欧陆风情！"

一路上，我想象着那家从未去过的咖啡馆的景象氛围，同时，也琢磨起"欧陆风情"这个语汇的含义。至少是从上世纪90年代起，"欧陆风情"的提法有点满天飞的架势，尤其是涉及到建筑物，无论是体量很庞大的星级宾馆、购物中心、高档俱乐部，还是中等乃至很小的饭馆、酒吧、咖啡厅，以及商品房小区，都喜欢在广告词里标榜自己是"欧陆风情"。

世界上的风情很多，为什么独"欧陆"抢手？想来标榜者的心思，大约有这样几个层次：一、它属于外国风情。二、它属于发达国家风情。三、它是发达国家里最优越的风情。头两个层次的含义，在于满足一般民众在改革开放以后，对西方发达国家的崇慕心理。既然并非每一个人都有出国游览真景的机会，那么，商家把那风情现成地奉献给你，让你足不出国门便能过一把瘾，岂不快活？但若在一般民众里搞抽样调查，特别是在年轻人里进行，问他们若有出国机会，首选会是哪里？很可能，美国的比例会最高。美国风情如何？现在中国人足不赴美，只要迈进麦当劳快餐店嚼一客"巨无霸"汉堡包，或去到凯菲冰激凌店的 31 个品种里选尝几样，在座位上再环顾一番那厅堂的布置，似乎也就把其具有代表性的风情领略了个八九不离十。美国历史太短，成年人似乎也大都幼稚，财富堆积得很高，文化积累却很浅薄。想去美国的心思不必改变，但一定要知道世界上普遍认为美国风情格调不高——现在的都市青年最重视的就是格调，或是品位；如被同辈人嗤鼻为"没格调"、"没品位"，那真是奇耻大辱——于是商家站出来引导：嘿，我这里可是欧陆的文化风情，格调最高，品位最酷，你不会欣赏，不来消费，那可真成了"现代恐龙"！

还有一个问题值得推敲，为什么非说"欧陆风情"，把陆外的英国，还有爱尔兰，都摒除在外？伦敦的威斯特敏斯特寺，大笨钟，白金汉宫，皮卡迪广场……哪一样历史不悠久，文化积淀不深厚，格调品位不高档？想了半天想不明白，也许，那只是因为说"欧洲风情"或"西欧风情"不如说"欧陆风情"顺嘴吧。

且说到了那家咖啡馆，门面的景象把我吓了一跳，屋顶上装着个大风车，拱形店门上方是一对用石膏塑出的西洋人像，细看，认出是仿照米开朗琪罗的"夜与昼"。进得门去，里面墙壁绷着暗红色绸子，有些金色的装饰条纹，挂着些后期印象派绘画的复制品；最里面的区域地板抬高半尺，要通过一个仿照巴黎铁塔最下面一截的隔罩进入；座位间摆放着一些绿色盆栽；隐藏起来的播音器里正传出西班牙吉他曲的旋律……

在最里厢等候我的老同事没等我坐下就问我："怎么样？够欧陆风情的味道吗？"

我不想扫他的兴，点了点头，但还是忍不住说："门口那一对卧坐门楣的石膏人，翻塑得有些个走形倒也罢了，不过那本是米开朗琪罗为佛罗伦萨大贵族梅第奇的坟墓雕刻的，挪用到这儿是否有些个荒唐？"

这座咖啡馆仅是小小一例。这类近十多年出现的大大小小、单栋成片的"欧陆风情"建筑，大多存在着草率模仿、生硬堆砌的通病，而且类似错把人家坟墓上的雕饰用到自己厅堂门楣的"误读"现象屡见不鲜。不过，我不想过多地责备俗众与商家，好不容易渐入小康，可以过点雅致生活的市民，在目前这个社会转型期里，对欧陆文化的平均审美需求也就大体徘徊在自文艺复兴到19世纪的古典区域里，而且一般只对已经从传媒上熟见的那些符码感觉兴趣，因此大量商家瞄准这个消费群体以快餐形式供应"欧陆风情"，不足为怪，无可厚非。

但是，设计、装饰这些建筑的建筑师、美工师，却应该有正确理解、准确体现欧陆风情的见识作为。"欧陆风情"究竟是个什么风情？从形式上挪用照搬，或在移植中略加变化，即使把罗马喷泉、荷兰风车、巴黎铁塔模仿得惟妙惟肖，或将爱奥尼亚柱式、哥特式尖拱、巴洛克装饰手法活学活用有所出新，究竟还都是得其皮毛罢了。对"欧陆风情"，应着重在取其魂而不是沉溺于取其形。"欧陆风情"的魂，一言以蔽之，就是人文主义，以人为本，讲究人道、人性、人情味儿。如今的世界，美国财大气粗，所谓高科技为本，反映到文化上，电影的例子最明显，主流是商业影片，动不动就是巨资投入，电脑制作，我们进口时也直言不讳，称"好莱坞大片"，虽说有时也标榜人道主义，但多以气势压人，缺少温馨宁静的韵味。欧洲电影的主流，直到今天仍坚持文艺片的路数，也不是不要票房，但尽量以中小规模的制作，深入地探究人性，精于形式创新。建筑艺术也如是，美国惯以"巨无霸"式的摩天楼或突兀的"童嬉"式建筑，凸现所谓的"美国精神"；欧陆则多以横向发展的中小体量建筑群，表达出微笑式或沉思式的意蕴。欧陆的环境保护意识觉醒得最早，"绿色运动"从抗议行为已经发展到了组党参政，反映在建筑设计上，就是格外注重建筑物与自然环境的亲和交融。从形式上说，欧陆建筑师的创新意识丝毫不比美国、日本等地的建筑师差，"后现代"作为一种文化浪潮，在欧陆建筑艺术上也取得了相当引人瞩目的成果，如西班牙建筑大师波菲尔为法国巴黎设计的拉瓦雷斯宫殿、剧场、拱门、公寓建筑群，将欧洲许多古典的建筑语汇与现代派的先锋手法拼贴在一起，其创意似乎是要引动人们默思往昔，享受一份淡淡的哀愁，这就与美国的"后现代"建筑单纯追求以"同一空间里不同时间的并置"来取得无历史感、无深度感的装饰趣味有了重大区别。其实，说美国文化一定就没有欧陆文化格调高品位雅，恐怕是武断之论。各民族各地区的文化都自有其独特价值，应该互相沟通交融，而不必褒彼贬此，以一种去取代另一种。

在北京的一次"房展会"上，一家开发商的摊位大字标明他们盖的商品房"以最平价格，奉献最地道的欧陆风情"。我细看那沙盘模型，其"卖点"主要是楼区间有片"威尼斯庭园"，设计了架有模仿威尼斯廊桥的水域，里面有个翘头的"刚多拉"游船模型；草坪花圃间有罗马式喷泉，以及某些我们从以往大挂历上看熟了的古典圆雕。我摇摇头走开了。如果真买了那里的房子住进去，维持这个庭园的物业费用摊到业主身上一定不菲，要么那水域喷泉就只能在开盘时显示一下，以后会被长期闲置，沦为空池旱盆。欧陆何风情？不是弄些个"威尼斯庭园"之类的把戏就算数的，关键是要在建筑设计的整体把握上要有人道、人性、人情味儿，要在入住者使用频率最高的那些楼房单元上下工夫，即使是沙盘模型，也应让人一看便有种亲切温煦的感觉。《红楼梦》里林黛玉咏白海棠："偷来梨蕊三分白，借得梅花一缕魂。""三分白"只是形式，"一缕魂"才是精髓，而且，无论借鉴、吸收什么风情，到头来，你所开放的，应该是中国海棠，对不对？

广告地理

我问路，指路者说："哦，很好找，到了那边百事可乐广告牌，往右一拐就是。"

朋友跟我约会，在电话里跟我说："在街口张惠妹大头底下，不见不散……"那聚集点也是一具大广告，上头有台湾歌星张惠妹的大幅头像，表情极其夸张，是在推销可口可乐公司的雪碧。

这种以广告作为地标的情形，20 世纪五六十年代在中国大陆几乎没有。那时候整个世界是两大阵营对峙的局面，大概所有的社会主义阵营的国家里，都很少，甚至根本没有商业广告，因此广告与地理概念也就都了无关系。那个时期又被称作冷战时期，就是说，两大阵营双方基本上不是以炮火进行热战，而是以暗中作对和舆论诋毁来冷冷地交锋。大概在 20 世纪 50 年代，美国好莱坞拍摄一部诋毁苏联的影片，片名叫《铁幕》，这片子我无缘观看。但苏联那时候拍摄过一部诋毁美国的影片，片名叫《银灰色粉末》，讲美国为了消灭社会主义阵营，暗中研制一种杀伤力极强的放射性粉末，影片里有大量镜头演的是美国。那时苏联拍反美电影当然不可能到美国去实地采景，是在前苏联找地方搭的美国风光。怎么能使观众一看那些镜头就认为是美国呢？办法便是突出广告，我记得影片里几次出现一条"美国公路"，那路也不过是一般的柏油路，两边的花草树木也不过是一般的花草树木，但使我那样的观众觉得非常地"美国味儿"——路边竖立着巨大的广告牌，上头画着硕大的玻璃瓶，用英文斜标出可口可乐的美术字。啊呀，美国真堕落啊！这就是当年我的观感，也是影片所想达到的宣传目的。

改革开放以后，国门大开，我相继去过了日本、法国、德国、美国等国家，这才知道，商业广告在他们那里简直是家常便饭。比如从法国巴黎戴高乐机场乘车驶往市区，我就记得有一个饮料的广告比《银灰色粉末》那影片中的可乐广告要大许多，而且，它不是平面绘制出来的，是一种富有艺术性的立体装置——在绿色山坡的坡体上，那只硕大的饮料瓶正往一只肥胖的杯子里倾倒琼浆，令人过目难忘；来接我的法国朋友一看到那广告便对我说："快到市区了！"显然，那饮料广告也成为了一个地标。在巴黎游览，自然免不了要去观赏艾菲尔铁塔，其实仔细一想，那完全用钢材构筑的玩意儿也不过是一具博览会的巨型广告罢了，只是，有的广告只能存在一段时间，然后会被换掉，而它由于体积很大也越看越美，被长期保留，并且成为巴黎乃至法兰西的徽号了。

商业广告在中国大陆迅速膨胀，而且越来越深地介入了地理谱系，最厉害的广告不是那些有形有态的制作，而是某些经济实体出资，买下了城市某些路段或桥梁的命名权，比如北京二环、三环上的某些立体交叉桥，有的就被命名为了"联想桥"、"四通桥"等等，还有一些房地产开发商，合法地取得了一个地理区域的命名权，如"万科城市花园"等等。

人们正在逐渐习惯这些现象。而且，有心人还可以从不同地域的广告地理的特色中，更深入地了解一个地域的文化积淀。比如，我既去过香港也去过台北，这两个中国城市都很商业化，一到夜幕降临，城市夜光都很缤纷多彩，乍看，觉得彼此很相像，但细加观察，则可发现，那人文景观又有很重要的区别——香港因为受英国商业文化影响很深，一切都往英国制式上靠，不仅所有车辆一律左行，夜晚公路上白色前灯与红色尾灯形成的两条流动的光轨与北京、台北相反，而且，香港街市上的霓虹灯是只许照耀，不许滚动扫描的；台湾则受美国商业文化影响较深，街市上的霓虹灯往往肆意滚动扫描。

各国也都有一些人士对商业广告如此蔓延持批判否定态度。他们认为，跨国资本的运作，世界贸易一体化带来的各种制式的划一，正消灭着各民族的文化特色，而商业广告的渗入地理领域，更令人痛心疾首。我一位朋友便持有这样的观点。有一天他来电话约我到东城一处茶寮见面，我问他出了地铁怎么走，他脱口而出道："就在海尔冰箱的广告前头……"哎，这就是我们这代人无可遁逃的地理处境。

四合院与抽水马桶

2000年7月去巴黎访问时，在住处忽然接到一位陌生女士的电话，该女士称自己有一半的法国血统，在中国北京居住多年，现在则入了法国籍，定居巴黎。虽然已定居海外，但她关注北京城市建设的一腔热忱不但丝毫未减，还与日俱增。她在电话里说，北京现在对古老的胡同四合院拆毁得很厉害，对此她痛心疾首。她的观点是北京的胡同四合院一点也不能拆，面对着还在拆的局面，她觉得必须联系更多的人士，同仇敌忾，一致发出强有力的呐喊，以改变眼下的危急趋势。她给我来电话，可见她看得起我。但她大概是个急脾气，电话里没过上几句话，便对我发难："听说你是主张拆的。你为什么主张拆呢?！"她并没有读过我有关的文字，只是"听人家说"，便把我的观点简单地概括为"主张拆（胡同与四合院）"，这让我真有点啼笑皆非。

北京的城市建设，就市区而言，也可称为旧城改造。除非真的一点都不变动，只要哪怕是略有变动，就必然会牵扯到"拆"字。这是一个大难题。

我在与那位法国女士通电话时，提出了一些基本看法，现在把我的看法再梳理一下，可概括为下列几点：第一，据我所知，现在主张把北京的胡同四合院完全拆掉，一点也不要保留的观点，似乎还没有；有，也是极个别的，没有什么影响，绝对成不了气候；所以，可暂不以"全拆论"为假想的论敌进行讨论。第二，现在主张北京的胡同四合院，乃至整个旧城区，一点也不要拆，不要动；已经拆了、动了的要不要复旧、如何复旧暂勿论；反正从现在起，坚决不能再拆、再动了！这样的观点，不仅是这位巴黎女士持有，在中国本土知识分子当中，应该说还是比较流行的，发出的声音也是比较响亮的；但持有这种观点的人士也应该意识到，未必真理就仅仅在他们一派当中；尤其是在进行讨论时，不能因为别人有另外的观点，就心急火燎，甚至不能耐心倾听、了解别人的具体意见，便简单化地把持有另外意见的人士归纳为"全拆派"。第三，现在既不主张"全拆"，也不主张"全不拆"的人士，颇多；但具体到什么情况下对什么地方不能不拆，以及无论如何对什么地方绝不能拆，各派、各人之间又多有分歧。最近我读到方可所著的《当代北京旧城更新》一书（中国建筑工业出版社 2000 年 6 月第一版），该书内容翔实，有实地调查，有研究探索，有与世界上别的文明古城保护更新方案的比较，有理有据，体现出对北京古城的无比爱惜，也体现出对社会发展中的北京市民的一份关爱，全书笼罩着"最好全都不拆"与"但是有时不得不拆"的复杂情怀，最后从理性上认同了吴良镛大师的"有机更新论"；当然，吴大师不仅有理论，也有像菊儿胡同危房改造工程那样的实践。吴大师的理论与实践，大概也会引起那位巴黎女士的愤慨，因为"有机更新"毕竟也还是要忍痛拆掉一些胡同四合院，不符合"一点点也不能拆不能动"的"神圣原则"，但我们能仅凭"听说"，就把吴大师的主张和实践"妖魔化"为"他是主张拆的"吗？我的思路，与吴大师及方可的理论、实践是接近的，但也有所不同。

我是一个建筑业的大外行，在城市规划、旧城改造、环境科学、文物保护等方面更是大外行。但我确实也就建筑与环境等方面的问题写了一些文章，我有什么发言权？如果从专业角度来看，我当然是没有发言权的，但是建筑与环境、城市建设、旧城改造、城市规划等事情与每一个市民都息息相关，作为一个在北京定居逾半个世纪，并且有在胡同四合院（实际上是大杂院）居住逾三十年的生命体验的一个北京市民，我觉得我又是有发言权的。

胡同改造属于展拓道路疏浚交通的问题，这里暂不讨论。四合院改造属于展拓北京市民生存空间的问题，更具迫切性，应该优先讨论。北京胡同里的四合院，最早都是一户一院，后来有的成了一院数户，大约在20世纪70年代以后，随着人口的膨胀，绝大多数四合院里都接盖出了越来越密集的小屋子，成为了基本上没有什么院落可言，甚至通道仅能容一个人推一辆自行车过去的怪模样，严格而言，已经不是四合院而是大大小小的杂居院。对北京现存的四合院进行审美关照，如果是以保存得比较好的少数四合院为例，得出"一点也不要拆不要动"的结论，是很便宜的事。但作为一个并不居住在北京现在那些占绝大多数的已沦为杂居院的原四合院里，只是时不时地跑去"审美"的人士而言，倘若他或她忽然内急，需要入厕，那么，他或她就会发现，北京绝大多数胡同四合院（杂院）的居民，都并没有自家的卫生间，他们大小便，一般都还必须去胡同里的公共厕所，这些公共厕所一般都还是"亚氏蹲坑"而不是抽水坐桶，并且一般还都不能做到随时冲水，要等到一定的时间才会有一次冲水，那水流也未必能把坑中的秽物彻底冲走，所以气味无论如何总是不雅的。这些厕所的各个蹲坑之间或者连栏板都没有，或者虽有栏板却并无可关闭的门扇，因此入厕者也就不可能获得一种隐私保证。我想，倘若我是一个自己有很好的住宅，尤其是有很好的卫生间的人士，或者，更已定居欧美发达国家，回北京后也有很好的抽水马桶使用，那么，我去北京古旧的胡同四合院审美怀旧，那么，是不难对胡同里那些蹲坑的简陋厕所忽略不计的，我将把目光集注在那些已经磨损却还存在的门墩，或虽已油漆剥落却还风韵犹存的垂花门，诸如此类的东西上，而且，我甚至都并不希望这些东西换成新雕新漆的，我只愿它们在我每次旧地重游时，都还那么古色古香、楚楚动人……我那"一点也不能拆不能动"的观念，在我每次离开那些胡同四合院，回到我所下榻的有现代化卫生设施的住所，比如某星级饭店，在大堂吧里喝着卡布奇诺咖啡时，必定会更加坚定，会觉得那些主张拆的人士真是不可思议！但是，如果站在居住在北京胡同四合院里，四季（包括北风呼啸的严冬）都必须走出院子去胡同的公共厕所大小便的普通市民，他们的立场上，那么，就应该理解他们的那种迫切希望改进居住品质的心情要求，他们当中许多人甚至羡慕那些住在"前三门"那些大板楼（目前几乎已被建筑界一致认为是在不该建楼的地方所建造的最糟糕的楼房）里的人们，因为那些居民起码有自家的抽水马桶！

　　谁不知道北京胡同有特殊的情调？如果你把一个收拾好了的四合院，一个有着"天棚石榴金鱼缸"，特别是有卫生设备的四合院交给一个北京市民去住，有谁会拒绝？但是，现在除了首长、外宾，以及极少数的富人，有谁能享受到这样的居住条件呢？我去北京某些近几年收拾出来的作为商品房的四合院参观过，它们的售价，在400万至2000万人民币之间！好几年过去，这种四合院绝大多数都还闲置着，它们等着某些省市用公款将它们买来充当驻京办事处，或由外国大公司租购使用。但现在的形势是强调廉政，外国大公司则似乎越大越不讲究摆虚门面而是越要讲究降低成本，这些浓汝艳抹的四合院恐怕还要继续"待字闺中"了。

　　2000 年春夏在巴黎流连了两个多月，巴黎老城确实保存得非常完整，像蓬皮杜文化中心、卢浮宫广场里的金字塔等新建筑在老城里一是数量很少，二是一般也都不影响城市原有的天际轮廓线。改变原有城市天际轮廓线的建筑百多年来只一两个，一是铁塔，一是蒙巴那斯大厦，前者被指认为巴黎标志并已具有文物价值，后者恶评如潮，公众舆论一致认为"下不为例"；整个巴黎老城区，那些从路易十三经路易十四、路易十五、路易十六，一直到拿破仑称帝期间陆续建成的街道房屋，外表一如既往，里面则都改造为了有现代化设施的使用空间。巴黎那保持旧建筑外表，而把里面现代化的经验，北京可否吸取？能不能使北京的胡同四合院外表依旧，而使里面都能有现代化厨房和卫生间？一位也是从中国去法国并在巴黎定居下来的朋友对我说："把照明电线、电话线、看电视的电缆线，还有自来水管、煤气管通进旧建筑，不算很难；把排脏水的管道普遍地接通到每一家比较困难，却也还可以想办法实现，可是，把抽水马桶安到每一家，也就是把排尿粪的污物管通到每一家，这可就不是闹着玩的了——你整个城市地面底下必须早有一个大型的排污系统，才能方便地实现这一点，而巴黎地底下原来就有这样一个系统。雨果写《悲惨世界》，最后的重要情节就在地下排污系统里展开，从拍成的电影上你可以看见，那地下系统四通八达，里面当中是污水秽物排泄道，两边是可以走人的通道，大部分地方比人高得多，人在里面可以直立行走甚至奔跑不成问题……北京城市地底下有这样的排污系统吗？如果没有，那么，给少数的胡同四合院里修个有抽水马桶的卫生间，实在接不上大街底下的排污管道，单给修个化粪池，定期派取粪车去泵抽，还是可以做到的，但给每家每户安抽水马桶，那工程可就复杂而艰巨了！"

这位朋友的分析，我不知道究竟是否算是内行话？我知道，北京一些胡同杂院的居民，为了改善自己的居住条件，顽强地对既有的空间进行了改造，包括安装抽水马桶，但是往往只能把抽水马桶的下部与排污水的细窄管道相接，这是违法的，也经常会发生堵塞倒溢，还派生出邻里间的纠纷，有的到头来又不能不拆掉，重新忍受去院外公厕方便的生活方式。对北京的旧城改造，对胡同四合院命运的关心，如果我们不仅能从文物保护的角度、审美关照的角度、怀旧抒情的角度，而且更能从重视普通市民生存状态的角度，也就是关爱人、体谅人的角度，亦即人文关怀的角度，来思考，来讨论，那么，我们无妨从这个最根本的问题出发：如何使现在仍在北京胡同四合院里居住，却仍要到院外的简陋公厕里大小便的，数量极其巨大的市民群体，能首先改进他们的拉撒条件，享受到自用抽水马桶的好处？主张拆的也好，主张一点也不能拆的也好，无论持哪种观点的人士，是否都能首先关心那些活着的，每天都要吃喝拉撒睡的，在当下生存于北京胡同四合院里的社会群体的生活品质的提升？离开了这个前提去讨论问题，我以为都无异于瞎子摸象。

平静对待一个"拆"字

北京建国门内残存的一段古城墙，不但被精心保存起来，而且以其为基础，建成了明城墙遗址公园，这当然是一件好事，反对者估计为零。由此引起的话题，也会形成广泛的共识，如当年要是按梁思成先生的建议，保留北京城的全部城墙城门

楼子，把北京的新东西一律挪到城外去建造，那该多好呀。把那么完整美好具有极
高文物价值的城墙城门楼子拆得只剩下前门、德胜门、东便门寥寥几处，真是太可
惜啦。看人家法国把巴黎还有意大利把威尼斯保存得多好呀，真得好好向人家学习呀。
今后咱们再也不能做拆掉文物的蠢事呀……这些共识如今在报刊上被反复宣谕，应
该说也相当深入人心了。

但是，务虚是一回事，务实毕竟是有所不同的另一回事。我们现在不能不面对
北京城的现实。五十年前的北京城，确实可以说是整个儿是一个文物，从理论上说，
一点都不加拆改地将其保存下来，不仅是必要的，也是完全可以做到的。在现在的
海淀区、石景山区等处去另建一个新北京，用来办公、经商、居住、学习、待客……
被完整的城墙围合的北京城就像一座大型的颐和园，完全用来展示中华文明。作为
百科全书式的博物馆、旅游胜地，凡允许住在里面的人，也就都是有关的文物保护
及相关人员，甚至可以设想在这座完全保持古香古色情调的大型博物馆里面，一般
不允许汽车进入，交通工具仍保持轿子、马车、骡车……不仅紫禁城、北海等皇权
建筑，天坛、日坛等神权建筑，以及隆福寺、白云观等宗教建筑，还有大栅栏、东
安市场等商业建筑，一律地绝对当做文物不拆不动，就是那数不清的胡同四合院，
也都采取逐条、逐院一任其旧的做法，把院里多余的住户请出城外，留下来的则责
令其维护古老风貌，种海棠，养金鱼，扎风筝，听蝈蝈……闭眼一想，倘若五十年
都如此这般地将北京城保护了起来，并不断地按修复文物那样将其完善，我们现在
还去羡慕什么巴黎什么威尼斯呢？

但是我们到头来还是必须睁开眼睛，而且要睁大眼睛，面对北京的现实。城墙
已经基本上拆光了。所有被我们称为现代化的新生事物全挤进了这座古城。五十年
来增加的人口，以及越来越多的外来人口，绝大多数还是集中在古老的城圈里生活、
工作、交往，尽管以古城圈为核心，放射性地往外大大地发展了一番，但跟梁思成

先生那在西郊另建新北京的构想不是一回事儿。上面所提到的古皇权建筑、神权建筑、宗教建筑现在基本上得到了保护，但商业建筑不能不加以改造，问题最尖锐的是大量的胡同四合院，保留下几片作为文物谁也没有意见，但一点不拆，行吗？

实际上这些年来北京的胡同四合院拆得最多。为什么拆？城市规划部门、建设部门存心要破坏文物？这些部门的人完全不知道人家巴黎人家威尼斯的情况？我想不能这样看待问题。实在是不得已而为之。怎么个不得已？一是有大量的胡同四合院不仅成了大杂院，并且几乎全是危房。中国古建筑，特别是民居，基本上是木结构，难以经久，而巴黎的绝大多数房子是石结构的，再加上古北京的胡同四合院地底下缺乏甚至根本没有宽大的排污系统，所以直到现在胡同院落里的普通居民还得到院子外头去上公共厕所，因此这些危房必须拆除改造，而居住在胡同危房里的居民可以说是百分之百希望能改善其生活条件的，有时他们会与拆改部门产生一些矛盾，那些矛盾一般都不会是因为他们觉得自己住的破旧危房是文物留恋不已，而是因为在拆迁的具体条件上，他们想争取到更多的好处。当然情况是错综复杂的，有的危房区里会出现仍然保持住古风并且相当结实的好四合院，那样的个别院落是留还是拆成为聚讼纷纭的个案，这里且不作枝蔓分析。不得已地拆掉胡同四合院的第二个原因是古北京的街道格局实在不能适应现在北京市民的交通需求，这甚至不是什么现代化不现代化的问题，北京成千上万的普通市民每天要上班、上学、做生意、社交，进行正常的流动，先不说小汽车，就是公共汽车、电车，要达到运送人流比较地通畅迅捷，那就非把一些干线道路打通、拓宽不可，而这就不能不拆掉许多旧的胡同院落。

正是基于上面的思路，我对现在在北京许多古旧房屋墙面上出现的大黑圈中的大"拆"字，保持一种冷静的态度。我以为，现在再按梁思成先生的构想安排北京已经为时太晚，对北京的胡同四合院（其实绝大部分已经沦为了挤满丑陋临建房的大杂院）完全不拆已经势不可能，现在我所寄希望于有关部门的是：一、妥善划定成片的胡同四合院保护区，给予这些区域的居民一些特殊待遇，比如优先疏散沦为杂院里的居民，拆除其中的临建房，拨款恢复古院风貌，并为其修造有抽水马桶的卫生间，确实使北京部分古老的胡同四合院恢复到文物水平；二、拆改的危房区，因为人口的增长，不得不建造较高的楼房，这是可以理解的，但设计上一定要使之能与旧城区的老胡同四合院达到和谐；三、在危房改造以及打通拓宽马路的过程中，必定会遇到真正具有文物价值的古建筑"不好办"、"当路"的问题，处理这样的个案一定要慎之再慎，一定要听取专家的意见，尽量取得"两全"、"双赢"的效果。

北京已经建成了皇城根遗址公园和明城墙遗址公园，你可以说这是亡羊补牢，但我更愿说这是古今和谐相处、择优发展的一种标志。其实也不只是北京，像西安、济南等古迹密布的城市，其发展也都备极艰难，不过凭借这些城市新一代市民的合理欲望与共同智慧，我相信是一定能探索出最优发展模式来的。

"城"的诱惑

十几年前，商品楼盘多喜欢称"花园"、"广场"，那时还引出不少讥评，说你那不过是些楼房，怎么能这样叫呢？其实那称谓是从 garden 和 plaza 译转过来的，一度在香港非常流行，在香港市民文化语境里，那就是商品楼盘的意思，没人会产生疑惑。内地人十几年前在商品文化方面多以香港马首是瞻，把商品楼盘命名为"花园"、"广场"，能满足许多消费者内心的欲求。但后来内地人眼界愈加开阔，"香港风情"逐渐式微，"欧陆风情"愈演愈烈，商品楼盘的命名也就向"欧陆"倾斜，以至不仅罗马、哥德堡、莱蒙湖、香榭丽舍、维也纳森林……人们耳熟能详的符码被广泛挪用，甚至还出现了比如"加莱小镇"这样的命名。加莱是法国西北部的海滨小城，历史上曾多次成为英法两国战争的交战地，法国雕塑大师罗丹有著名的群雕《加莱义民》，表现的是加莱被英军占领后，一些加莱的居民自愿做人质让英军押走的悲苦一幕。按说以此而引世人注目的法国小城绝非"欧陆风情"的典范，但在中国房地产开发的"欧陆风情"热里，连"加莱"都足以作为楼盘符码，可见国人在高速发展的经济进程中，"欧陆"作为优雅文化与高品质生活象征，在消费心理中已浓酽到了何等程度。

不过近两年各地商品楼盘的命名确实已经趋向于多元，看上去真有点乱花迷眼了。我手头有张 2003 年 9 月 26 日的《北京晨报》，整个对开版面上是北京的大地图，作为"10·1 黄金周看房指南"，上面密密麻麻标出了许多楼盘，细看那些名称，"广场"、"花园"都已寥寥，标榜"欧陆风情"的虽然还多，但意在强调民族传统风情的也出现了不少，如"馨香茗园"、"菊园盛景"、"绿荫芳邻"、"蝶翠华庭"等等；另外更涌现了许多标新立异的名目，如"硅谷先锋"、"知本时代"、"阳光星期八"、"耕天下"、"雅龙·骑士"、"炫特区"等等；而"珠江骏景"、"上海沙龙"的出现，更说明人们不再一味地向往欧、美、澳、港，以内地的经济、文化领先地作为商品楼盘的符码，也一样能让不少消费者怦然心动。

但有一个现象引起了我的注意，那就是眼下以"城"命名商品楼盘的做法似乎方兴未艾。上面提及的那张《北京晨报》上就非常之多：东有"万国城"、"凤凰城"、"富力城"、"翠城"、"康城"、"BOBO 自由城"……西有"世纪城"、"大苑·恬城"、"长安新城"、"京汉旭城"……北有"北京青年城"、"东方城"、"和平新城"、"嘉铭·桐城"……南有"翡翠城"、"彩虹城"、"星河城"、"万年花城"……也不光北京时兴以"城"命楼，随手一翻 9 月 25 日上海《新民晚报》的"楼市"版，"新梅共和城"的广告便跃入眼中，再顺手一翻 9 月 26 日天津《今晚报》，则有"华苑新城"广告落入眼底。

把自己开发的商品楼盘称"城"，说明了一个趋向，那就是随着楼市的发展，虽然消费者的欲求越来越多样化，但其中也有某些恒定的因素，因此开发商必须迎面微笑而上，去让自己的楼盘在体现特色的同时，又更充分地去满足那些消费者绝难割舍的基本需求。在命名的语码组合里，不管前面的一个以上的字眼是什么，最后必以"城"来定位，就是这些开发商面对消费群体的一种自觉迎合意识的体现。"城"首先意味着相当的规模，特别是那些地理位置距离原市中心较远的楼盘，规模气势呈现出"卫星"的态势，就比较让消费者放心。"城"虽然是一个点，但既称"城"，那它与其他点勾连的线必是通畅的，或有很好的公路，或有地铁或高架线路穿过，见"城"如见路，让消费者闻名心舒。"城"与"园"、"苑"、"阁"、"馆"之别，就是它不单一，有包罗万象的含意，实际上若干开发商确实是从这样的理念出发来设计"城"的：它应该构成一个自足的生活空间，不仅有居室，有停车位，有会所，有园林庭院，有运动场，而且还应该有超市、诊所、幼儿园、小学、中学、快餐厅等完善的配套设施。"城"又是与"乡"相对应的概念，在人居审美追求上，喜"乡"是一个越来越时髦的流派，也有一些商品楼盘瞄准了这块市场，从房屋造型、功能需求、景观配置一直到命名符码上，都尽量突出乡野情趣，如"长岛·澜桥"、"原生墅"等等，但说实在的，更多的消费者，特别是经济上还不具备在城里已有住房还要到乡野别辟静所另置幽合的一般市民，往往还是恋"城"派，他们还是希望所购买的楼盘，能具有"城"的繁华与情调，具体而言就是出则可方便取"闹"，退则可方便取"静"。对于他们来说，原生态的"诗意"毕竟还是不如红尘的"锣鼓"，这也不好指摘为"虚荣",就像我们在尊重素食者的同时不好随便去嘲笑嗜荤者一样。

一座城市的建筑面貌,实际是由生活在这个空间里的生命群体的现实欲望所决定的。当然,强势生命的欲望在更大程度上发生着作用,有时甚至是决定性的作用。比如明成祖个人,以及依附他的强势生命集团,就决定了一直传承到今天的北京旧城的面貌。这种欲望有时会通过明确的意识形态来推行,比如上世纪从苏联挪移过来的"社会主义内容、民族形式"建筑方针,就在北京留下了不少体量庞巨、亭子顶巍然的办公楼。改革开放以后,与国际接轨,奔小康生活,这两个愿望的经纬线织出了中国大地上新的城乡图案。近十几年来各个城市里的商品楼盘更是比春笋还蹿升得迅疾,持币待购新房的市民们的欲望,自觉的不自觉的,凸显的潜意识里的,刺激推动着开发商,并通过设计师们的落实,正春蚕食叶般修改着昔日的城市地图。我曾应邀参加过北京一批以"城"命名的房地产商的研讨会。他们聚在一起,从一般的联谊角度升华到共同思考:究竟我们为什么要把自己的项目命名为"城"?"城"的诱惑力究竟是什么?他们已经初步意识到,有一种既有形又无形的力量在他们背后产生着能量,那其实就是城市人居消费群中的一批活泼泼的生命在"发功",而消费者与他们的互动关系,也就成为了巨大的彩笔,把镶嵌在时代中的人生欲望,添绘在了我们祖居的这片大地上。

如何理解、把握、满足同时又引领、疏导、矫正眼下房市消费者的欲望,是决定着城市未来面貌的大事。对"城"这一商品楼盘符码渐次增多的初步思考,只是一个小引,我希望有更多的人士能投入这个领域的理性探究,庶几可以多少起到促进城市楼市健康发展的作用。

"顶"的焦虑

　　我曾写过一篇《万般艰难集一顶》，从建筑师的角度，讲建筑物"收顶"要达到功能、美观、与周遭环境协调均臻完善，实在是必须殚精竭虑、反复推敲的难事。近见 2003 年 11 月 13 日《北京晚报》头版头条新闻大标题《三环内楼房将消灭"平头"》，兹事体大，不能不密切关注，便忙读内容："记者昨天从市国土房管局获悉，北京三环路以内，奥运村周边及重点地区周边 25 条主要街道两侧的临街多层平顶楼房全部消灭'大平头'，所有楼房的平面屋顶将全部改成坡顶。根据市政府要求，2006 年 6 月底前这一改造工程将全部完工……'平改坡'还应当遵照本市旧城建筑总体规划的要求，即建筑单位在对旧城内具有坡形屋顶的建筑或平面屋顶进行'平改坡'改造时，屋顶色彩应该采用传统的青灰色调，禁止使用颜色绚丽的琉璃瓦屋顶。"这次，对"顶"的设计成为了政府职能部门的一道命令。从记者报道中，我们读到一连串"全部消灭"、"应该采用"、"禁止使用"的"一刀切"用语，一座偌大京都三环内街边的建筑景观，似乎将一概无"平"皆"坡"矣！

　　这条消息，记者没有把北京国土房管局推行"平改坡"的目的报道出来。似乎"平劣坡优"已成为毋庸探讨的"常识性前提"。依我想来，有关部门之所以推行"平改坡"，大概主要是因为北京旧城建筑，绝大多数都是坡顶，这里所说的坡顶当然指的是中国古典式坡顶，即硬山、歇山、庑殿、卷棚、攒尖等形式的坡顶，而非比如说荷兰阿姆斯特丹运河边那些楼房的坡顶。北京旧城高突的建筑，如钟鼓楼、紫禁城、坛庙等，几乎都是坡顶，构成了非常富有特色的天际轮廓线，尊重这些传统坡顶，在维护旧城面貌时考虑到如何维系一种坡顶轮廓的总体风格，应该说是一种严肃的思路。但问题是，北京城三环以内的楼房，近三十年来已经蹿起了不少完全摆脱了民族传统形式的，按西方现代派风格设计建造起来的，这里面包括若干已经成为北京地标的建筑，比如东三环内的国际贸易中心，它的两座咖啡色的写字楼，以及半弧形的同样色彩的中国大饭店，在关于北京的电视报导中，常以它们的"倩影"来喻示古都与国际接轨的新颜锐气，这组建筑就全是平顶的。上引报道用了个《三环内楼房将消灭"平头"》的大标题，笼而统之，乍看真以为把国贸建筑群这样的楼房也都包括在内了，仔细看内文，才发现并不是指所有的平顶楼房，而专门指向了"多层平顶楼房"。求教于一位建筑界人士，蒙他告知我国上世纪 80 年代有关部门曾下文对楼房概念加以厘定，大体而言，二至三层算低层，四至六层算多层，七至十层算小高层，十层以上则算高层。可见报导的标题为了"醒目"，吓人一跳，其实可以先松一口气，不必为北京所有的平顶楼房一律地担心。

城市建筑的形态，沿街高楼的顶部处理，如果前提是在一片旷土上建造，或在历史短促的城镇里发展，那么，百顶齐放，百态争妍，本不应成为问题。坡顶也好，平顶也好，圆顶也好，怪顶也好，难说哪种一定就美，哪种一定就丑。建筑是一门技术，也是一门艺术，坡顶的功能性未必胜于平顶，平顶处理好了其外在的优美性又未必逊于坡顶。而且"平""坡"之外，建筑师可以想象设计出无数种顶来，任何公式、框架都不能予以限制。许多人都知道德国建筑界老早就有包豪斯学派，这一派的设计旨趣是追求简洁爽利，平顶盒状几乎可以说是其经典的形态，而且多用在我们所指认的多层楼房设计中。尽管这一流派到目前有些式微，但其旨趣的精华却已渗入到当今许多流派的创意中。更进一步说，建筑艺术发展到今天，"顶"不仅可以千姿百态，甚至也可以达到"无所谓顶"的境界，法国建筑师安德鲁设计的中国国家大剧院就整个儿是个大水泡的形态，顶与墙与柱浑然难以区分，具有了博大胸怀的当代北京，不是已经在天安门广场西侧接纳了它吗？为什么现在又为"平顶"而焦虑，到要花大力气将上述沿街多层楼房一律以"改坡"的方式来消灭掉呢？

　　我想是随着 2008 年的逼近，北京有关部门对市容中的缺陷，特别是三环内旧城区里那些沿街的盖起多半已达三十来年的完全不讲究美观的平顶多层楼房——绝大部分是居民楼，产生了一种焦虑，认为实在有碍观瞻，大失古都风韵，拆了重建工程浩大，因此最后把焦虑集中到"顶"上，觉得不如将其一律"平改坡"，估计大概不会是大动干戈，去加上歇山坡顶或添些亭子（以为"亭子顶"即"传统美"的做法，一度在北京大行其道，后来广遭诟病，现在"平改坡"一定不会是"重拾旧技"），多半会采用比较柔和的手法，特别地注意将其顶部檐口装饰好，以资观瞻。之所以规定不许用琉璃瓦而一律用青瓦，大概是考虑到 25 条主要街道上的这类楼房即使重新粉刷外墙也仍属寒酸，配青瓦既省钱也得体，倘用绚丽的琉璃瓦，则既浪费又扎眼。我没有能力逐一考察北京三环内 25 条主要街道沿街多层楼房的情况，但即使是那些原属简易的多层楼房，也毕竟还有其具体的情况，特别是与周围环境的具体的交互关系，因此每一座都应作为个案来慎重考虑，有的可能保留"平头"状态也并不一定就不顺眼。比如有一种"西班牙三岔楼"，从空中鸟瞰的形态，北京人给取了个绰号叫"大裤衩"，这种楼形在上世纪七八十年代普及许多发展中国家，北京三环以内随处可见，高层的、多层的都有。从功能性上说，它使楼房中的每一单元都能有大体朝南的窗户，冬季日照时间都比较长，也节省地皮，一度很受欢迎。它的立面比较灵动，不死板，因此，它的"平头"也就不让人讨厌，把它"平改坡"恐怕是多此一举。那些单调的"平头"多层大板楼，"平改坡"时究竟使用什么样的瓦料，似乎也不好一律规定为"青灰色调"，青灰瓦更多地使用在江南的建筑物上，即使很高大的楼阁佛塔，也多用青灰瓦（因为明、清两朝在瓦色上有制度性规定），但北京旧城的胡同四合院固然是青灰瓦，稍高大些的建筑，因为多是体现皇权、神权及宗教至上至高威严的，所以多用各色琉璃瓦。我曾写过一篇《半城宫墙半城树》，把北京古城传统色彩从天空到墙基概括为"蓝、绿、黄、红"，指出胡同四合院的"青灰"

是掩藏在其中的。很难想象，北京三环内沿街多层楼忽然一律改成了江南风味的"青灰瓦顶"，那效果究竟是美观，还是别扭？

另外，记者没报导出来，我猜想，有关部门的这一决定，也许是有这样的用意：通过"平改坡"，也起到改善若干多层楼房的功能性，因为那样的平顶多层居民楼，顶部比较薄，使用的建筑材料也比较落后，最上面一层的居民有夏热冬凉之苦，加个坡顶，能起到调节温度的作用。但是，要通过加坡顶来达到这样的目的，恐怕也很难统统奏效，算下来，耗资不赀，费工费力，究竟值不值得？还是再仔细地研究一番为好。总而言之，建筑方面的事情，还是让建筑设计师、土木工程师等专业人士来进行个案考虑好，任何方面的机构或人士，即使出于好心好意，也不要包办代替，尤其不宜搞"一刀切"。多层楼房，平顶的未必难看，坡顶的未必就体现了"古都风貌"，若要改善平顶多层楼房的顶部功能，只要选妥建筑材料，平面解决可能比用坡顶解决要节省许多的资金与工时。

作为一个普通的北京市民，阅读了晚报上的一条报道，生发出了如许的感想，我想把它们公布出来，也不仅仅是可供北京市有关部门参考。事实上，对楼房屋顶形态的焦虑，不仅是北京一地，也不仅是萦绕在建筑师构思中，各界业主，城市规划部门，以及其他相关职能部门，乃至整个政府，目前都开始关注这一课题，如何使我们国家的建筑在引进国外特别是西方现代派、后现代派建筑风格的过程里，仍能保持住我们民族传统建筑风格的典雅之美？如何修整、改造、装饰近几十年来有时是匆忙建造起来的那些简陋的"沿街高楼"，以改进我们城市天际轮廓线的观瞻？"顶"的焦虑，体现出了建筑领域里时代审美意识的提升，希望这种善意的焦虑，最后都能一一化解为"凝固的优美旋律"。

小风景与大环境

明朝著名的"公安三袁"，即袁宗道（伯修）、袁宏道（中郎）、袁中道（小修）三兄弟都爱写游记小品，中郎与小修各有一篇《游高梁桥记》，春三月的游览，有一回还是同游，但他们游毕的印象与心境竟大相径庭。

高梁桥在北京西直门外，至今不仅仍存其名，还依稀可辨河道与桥址。在明清时期，高梁桥、泡子河、满井等处是文人雅士最喜游憩的，具有野趣的城边胜景。中郎的那篇游记中这样介绍高梁桥："两水夹堤，垂杨十余里，急流而清，鱼之沉之水底者，鳞鬣皆见，精蓝棋置，丹楼朱塔，窈窕绿树中，而西山之在几席者，朝夕设色以娱游之。当春盛时，城中士女云集，缙绅士大夫，非甚不暇，未有不一至其地也者。"具体的那回游览，他这样记叙："三月一日，偕王生章甫、僧寂子出游。时柳梢新翠，山色微岚，水与堤平，丝管夹岸。趺坐古根上，茗饮以为酒，浪纹树影以为侑，鱼鸟之飞沉，人物之往来，以为戏剧。"他的审美活动已经达到以主观想象替代客观实体的程度，所以旁人看到很难理解，他写道："堤上游人，见三人枯坐树下若痴禅者，皆相视以为笑。而余等亦窃谓彼筵中人，喧嚣怒诟，山情水意，了不相属，于乐何有也！"这篇游记凸现出袁中郎逸世脱俗的雅士情怀，确是一篇妙文。

袁小修的同名游记却采取了严格写实的笔法："高梁旧有清水一带，柳色数十里，风日稍和，中郎拉予与王子往游。时街民皆穿沟渠淤泥，委积道上，羸马不能行，步至门外。于是三月中矣，杨柳尚未抽条，冰微泮，临水坐枯柳下小饮，谭锋甫畅，而飚风自北来，尘埃蔽天，对面不见人，中目塞口，嚼之有声。冻枝落，古木号，乱石击。寒气凛冽，相与御貂帽，著重裘以敌之，而犹不能堪，乃急归。已黄昏，狼狈沟渠间，百苦乃得至邸。坐至丙夜，口中含沙尚砾砾。"对这次游览，他后悔不迭，自问为什么"家有产业可以糊口，舍水石花鸟之乐，而奔走烟霾沙尘之乡"？甚至把自己跟着去高粱桥凑热闹的行为贬斥为"嗜进而无耻，颠倒而无计算也！"

中郎的记游，把小风景的美感无限放大，而把大环境的恶劣忽略不计。小修则相反，他对被大环境污染的小风景的美感忽略不计，而对大环境的恶化程度浓墨描绘，深恶痛绝。

北京的风景名胜极多，除了紫禁城、颐和园等大规模的古建园林，还有不少分散各处的小风景。但是这所有的风景名胜，都属于一个大的自然环境区域。在大区域的自然生态持续恶化的情况下，相对显得小些的风景名胜地即使确实还有其优美一面，那优美也是脆弱的。袁小修笔下的高粱桥风景带就被昏天黑地的风沙给"杀"掉了。其实，他家里花园的那些个"水石花鸟"，也同样会被搅天的风沙弄得失却清爽润泽。

能够像袁中郎那样时时以主观想象统领审美情绪，从艺术创作的角度来说当然是可贵的品质。但是从实际生活的角度出发，保护实际存在的优良大环境，对已经恶化的大环境付出大力气加以改造扭转，则是真正保障我们审美需求的坚实前提。

北京在明清时期是一座水城，贯穿城区的湖泊水道颇多，但是到上世纪初很多湖泊水道就已经萎缩乃至湮灭。现在的高粱桥地段脏、乱、差，不能唤起任何审美情绪，恐怕袁中郎复活重游也再难自得其乐。当然，和北京许多其他地段一样，高粱桥地段也正在实施改造计划。北京这些年在复原某些老风景上很下了些工夫，像西、南护城河的整治，后门桥的修复，莲花池的莲花怒放等等，这些从保护小风景的角度做出的美化优化城市景观的努力是应该肯定的。但更应该重视，并花大力气整治的应该是整个环北京地区，乃至整个华北北部的自然生态环境。如果不努力在北京周边，特别是西北的沙漠南移地带大规模固沙造林，改进生态，那么，像袁小修笔下的那种出行一趟，回到家中"口中含沙尚砾砾"的情形就还会持续下去。整治北京大环境的规划现在也已经有了，并且也正在从纸面推向地面，我们期待着在不久的将来，就能享受到其实惠。

在经济杠杆的撬动下，全国许多地方都很重视小风景名胜的修复开发，以作为旅游资源，仿佛是在竞栽"摇钱树"。有的地方，比较注意把小风景的开发同大环境的保护整治结合起来，有的地方就不够注意，甚至不管不顾，把本来通体很好的自然环境，切割破坏掉了，开发为旅游点的地方风景确实迷人，沿途周边的山林水域却破了相受到污染，见之令人痛心。有的地方原来整体自然环境很差，仅仅是绿洲似的几处小风景还不错，于是拼命往那小风景上"贴金"，而越来越趋恶化的大自然环境也就越来越粗暴地来"杀风景"，形成恶性循环。这都是必须加以矫正的。

在小风景与大环境的联袂发展方面，北京应该成为全国的一个榜样。过几年，北京人无妨举办一次《游高粱桥记》的同题征文活动，把那些新写出的篇章与袁氏兄弟的文字对比着阅读，届时人们会产生出怎样的思绪感慨？

温榆河的气息

进入新世纪，我常在文章后面注明"写于温榆斋"，不断有人问我：斋名何义？其实很简单：我在农村辟了一间书房，位置在温榆河附近。知道北京这条河流的外地人可能不多，但与这条河流亲近过的外地人实在太多。外地人来北京旅游，十三陵是必去的名胜，多半在十三陵水库旁赏过湖光山色。温榆河从居庸关一带发源，上游注入十三陵水库，再从十三陵水库朝东南方向流去，所以十三陵水库也可以算是此河的一个"鼓肚儿"。如果来北京是坐的飞机，那么，出了天竺机场，乘车驶入高速公路，没多久便会跨过一条河桥，那桥下便是温榆河。

一千二百多年前郦道元著《水经注》时，对这条河流的名称用的是"湿余"两个字，到五百多年前一些著作提到时写成了"湿榆"，三百来年前则又被写成了"温榆"，也未必是因字形或字音相近而讹变，"温榆"这两个字体现出草根阶层对安定朴素生活的固执追求，河名至今不再变动。

有些朋友看了我在温榆河边画的水彩画，出于宽厚不去批评我的画技，但出于好奇总不免诧异："怎么，离城不远的地方有这样的野景么？"我所画的河段比天竺机场离城区还近，从东二环的东直门算起，不过才二十公里，但大有"夹岸修杨绿带烟"、"扁舟一叶水鸥轻"的世外桃源蕴味。我的画是忠实写生，没有掺入想象夸张。我常取的路径，是从机场辅路的苇沟桥西岸，顺沙石铺就的，两侧栽有高耸白杨树的堤路朝南漫步，夏日满眼葱绿，许多地方可以走下堤坡，在野草丛和并不整齐的柳林里从容选取写生的画面；温榆河被深浅不等的绿茸茸的植被拥簇着，几乎没有裸露出黄土的地方，河旁的树木草丛倒映在河水里，风过荡出弯曲的舞姿。在这里能够找到那样一种角度，极目望去，没有房屋，甚至连高压电线的钢架也看不见，只有树、草、河、天，这是北京的天竺机场附近么？连我在画水彩画时，也有种恍惚入梦的感觉。

于是看过我水彩画的朋友，有的就不免进一步问："你在那河边，一定闻够了大自然的芬芳气息吧？画完画，你该在河边深呼吸一阵，那一定大大有利于你的心肺健康！"我不得不向朋友坦白，那温榆河的气息，不但绝不芬芳，而且是不折不扣地在氤氲出阵阵恶臭。我画画时不得不经常地浅吸深吐，以至有时不得不匆忙结束，跑到离河水远些的地方再从容吐纳。

温榆河变得这样臭，已经有好多年了。在一本十八年前出版的《北京指南》上，我看到这样的介绍："北京最早的自来水厂是 1908 年在东郊兴建的，是在温榆河上筑坝拦水的简易水厂，到 1910 年才向城区供水。"虽然那时的水厂简陋而且供水效率很差，但温榆河水的洁净绵软是可想而知的。不知从什么时候起这条河不再是城里自来水的水源之一，但自从天竺机场成了北京唯一的国际兼国内客运空港，温榆河应该说也就成为了一条"国门河"，即使这条河的河水不能喝了，我们怎么能让它变成了一条臭河呢？

那天在河边画画，偶然遇上了一位开着小轿车去河滩上暂避暑气的人士，我也不太弄得清他的职业身份，搭起话来，说及作为"国门河"不该这样臭，他呵呵笑着说："你着什么急？国门么，看着体面就行。首长外宾，所有从机场进北京的人，都是坐汽车从高速公路上飞似的开过去，如今的汽车全有空调，谁开着窗户往外头闻味儿？"这话让我好恼。

我不知道该责备谁，也许我自己也该受到责备。那种因为是"国门"，所以才刻意让它既悦目也芬芳的思路，恐怕就值得检讨。把我们生活的环境搞得美好，难道仅仅是为了让外面的来客看到了以后赢得一个堂皇的"面子"？我忽然想到了三十多年前看过的一部阿根廷电影《大墙后面》，那时候我们引进这部电影译制公映，为的是通过它批判资本主义社会两极分化的罪恶。影片的一个主要场景是，为了使拔地而起的摩天楼群的"美丽面貌"不至于被城市另一边破烂不堪的贫民窟"带累坏了"，于是在贫民窟前面修筑起一堵高耸大墙，"以光门面"。现在可以悟到，发展中的国家似乎都会遇到一个"光门面"的问题，为了展示自己的"崛起"，争建"世界第一高楼"，以及"摩天楼林"，这倒还不算太大的问题，而忽略那些"反正人家不注意"

的社会族群及其生态环境,筑起有形无形的"大墙",任"大墙后面"的霉烂恶臭延续,这种意识和做法可就是太大太大的问题了!

河流变臭,不外乎三个原因。一是有工厂往里面倾泄废水,这种污染最为严重,但也较易排除——只要政府职能部门下死命令迁走或关闭那样的工厂,问题也就解决。二是城市居民的污水排入其中。三是河流自身多年没有清淤,蓝藻类低级生物恶性膨胀,使河水缺氧腐臭。这后两条解决起来就比较艰难。偌大北京城的居民,每天要排出巨量污水,这些污水如果不往郊区的某些河道里排泄,那就必须修建大型的污水处理厂。河道清淤则往往需要更其巨额的资金。我们提起环境保护的话题时往往会"站着说话不腰疼",似乎"正义之言既出,即刻水清气馥",其实这里首先有个资金的问题,而且有了资金也还有个如何科学地解决问题、如何可持续地维护与发展问题,不仅是"谈何容易",更属"做何简单"。

这篇文章刚写到一半,恰好有 2001 年 9 月 21 号的《北京晚报》到了手头,头版上赫然有《温榆河驱臭 招鸟语花香》的"本报讯",据之可知全长 47.5 公里、流域面积 2478 平方公里的温榆河之所以成为了臭河,是上述的后两种原因造成;将关闭沿河的 100 多个排污口,实施清淤,并且把两岸作为北京城市绿化隔离带的重要环节;为此专门从新加坡请来了设计大师刘太格先生,担纲两岸生态走廊的规划设计重任。未来规划区内大部分的面积都是树林和自然植物群落,清淤后河道还将具备通航能力,按照生态农业、郊野风光和旅游业建成三段不同功能和景观的区域,并沿河道进行 200 米宽的绿化带建设。这真是天大的好消息!其中最令我惬意的是绿化带里不都搞成城市公园里的那种规整样式,而是要保留并营造出更多的自然植物群落;我恳请一定保留住极目望去可以不见任何建筑物而只有树、草、河、天的纯田园景观,那样的一些河段。其中最令我担心的是旅游业的发展,其实温榆河前后左右已经有了太多的旅游景点,是否一定还要把它中下游的河段开辟为旅游区?

什么地方一旦成了旅游区，那就免不了兴建种种"旅游设施"，结果是人为的景观干扰破坏乃至完全取代了原来的自然生态，宁静化为喧嚣，淳朴素面化为浓妆艳抹；我愿温榆河从臭河变为香河以后，仍能保留其原有的野气与安谧。

温榆河的气息将变得我愿在河畔久久地深呼吸，愿那气息使我的水彩写生也变得更加中看。至于在温榆斋中写出的文字，我得承认，那可能与温榆河气息的变化勾连得并不那么紧密——关键是我得对自己的心河清淤。

潮白寻波

因为把农村的书房安在了温榆河附近，所以常拿着画夹子到温榆河边画水彩写生，并写成过《温榆河的气息》一文，赞美那水景岸树之美，也预告现在发出恶臭的河水即将被治理得波澄味馥，由此进一步对京东的所有水系都发生了兴趣，逐步把观览写生的范围，扩大到稍远一些的河流。现在一般北京人似乎对车流的兴趣大过对河流的兴趣。为疏浚车流，北京建成五环路，正建设六环路。我书房所在的村落，就处在五环路与六环路之间。东五环路已经在北皋村那里架起了巨大的立体交叉桥。东六环的立体交叉桥的撑柱也已经昂然耸立。在东六环建设中的立交桥附近，我发现了一条河流，周边有大片的藕田，夏天荷叶田田，荷花盛开，入秋只见采出一车车的鲜藕，运往城区销售，有时也兼运些莲蓬，仔细观察，则荷田旁还有数畦茭白，采摘出的肥嫩茭白看上去比鲜藕更觉水灵诱人。这条两旁有藕田的河流，野趣比温榆河更胜一筹，河边有大丛野生的芦苇、蒲草，河里有一片片翠绿的浮萍，苇草丛中时有野鸭游出，常常是鸭妈妈带着一串小雏鸭从容地游弋，煞是可爱。在那河边写生，只觉得河水气味也还正常。我头一回去时，一边写生一边自以为是地摇头晃脑："唔，这潮白河果然不错！"谁知路过旁观我画画儿的牧羊人笑歪了嘴："您弄错啦！这哪儿是潮白河呀！这是温榆河跟潮白河当中间的一条河，叫做小中河！"

后来我仔细看我书房所在的顺义区全图，果然，从西往东画着三段河流，西边的温榆河和当中的小中河离我书房都不算远，步行一阵可以到达，但潮白河则在离我们村东边已经颇远的县城——虽然行政待遇上已经县改区，但原来的县城无法改称"区域"，人们还用老称谓——的更东边，步行过去势不可能，必须以车代步。

我的农民朋友小郭有辆小面包车，平时用来拉货，听到我是那样地向往潮白河，便答应闲时载我去潮白河边一览风光并拍照写生。

在去潮白河以前，我翻查了一些资料。它属于海河水系的五大河之一，由发源于冀北的潮河与白河在顺义北边的密云县燕落寨一带汇合而成。它是北京境内最长的一条河，过境长度为236公里。顺义区的流段应是它的中游。它的下游经通县过天津地区汇入海河注入渤海。据明代蒋一葵的《长安客话》记载，潮河原名濡河，入古北口折而东流"时作响如潮"，故又名潮河，而白河上游"山恶水深，间隔难行"，戚继光曾赋诗曰："郁葱千里绿荫肥，涧水萦舒一径微"，"石壁凌虚万木齐，依稀疑是武陵溪。"那就是说，潮白河不仅水源丰沛，而且两岸风光竟酷似江南。

头一次烦小郭驾车载我去潮白河，是在夏末。一路上小郭也笑我错把小中河认作潮白河，他说潮白河那河床好宽，比小中河粗几倍，有的河段恐怕比十条小中河加起来还开阔。渐渐地，我们接近一座跨越潮白河的大桥。我急不可耐地引颈眺望，怎么总不见潮白河的水波？到了桥上，两边一望，哪有什么河水？在桥那头把车靠边停住，走到桥上顺桥栏细观，只见横亘在桥下河床里的橡胶闸干巴巴地趴伏着，里外都没水，河床里是一望无际的蒿草。也许是这一段河床属于特殊情况？小郭和我回到车上，转悠着寻找潮白河的碧波。小郭说他1999年夏天还来过这边，河里明明有水，有的河段水还挺旺，见到好多人在河边柳荫下钓鱼。难道才两年的工夫，这河就断流了吗？我们转到"绿色度假村"边，河是干的；转到县城边的河滨公园，只有很少的几片水潦，昔日吸引游人的小船都翻转着摞在了岸上；转到另一座大桥，那是有红色圆拱装饰的，通往更东边平谷县的一座相当宏伟的公路桥，桥下的河床宽逾千米，却完全只有苇丛蒿草，桥头的一处"水上游乐园"如水上滑梯等设施已经油漆剥落，出现锈斑，大门紧锁，一派萧条。我们转来转去，越转越败兴。潮白河为何断流？面对着这干涸的河床，我们北京人何以为情？

潮白河上游，是从对北京人至关重要的密云水库流出来的。潮河与白河注入这个约200平方里的水库，形成北京人饮用水的基本资源。密云人有"永远奉献北京一盆净水"的誓言，但如果这盆水成了一盆只有注入没有流通的"静水"，它又怎能抗拒"流水不腐"的客观规律？

那天从潮白河回来以后，我心里一直仿佛梗着枯萎的草茎，难以平静。一位朋友跟我说，他认为是因为近两年北京旱情严重，密云水库库容吃紧，所以只好先闸住足够供应市区的水量再说，往南泄水给干枯的河床已经是心有余而力不足了。另一位朋友说是从报纸上看到过一则报导，说潮白河的断流是由于上游地区一些人在狭隘利益驱动下，滥挖河沙，导致河床存水能力衰退，水不往中下游流而渗入了地下。但第三位朋友则告诉我他得到的信息，是北京地下水的水位整体跌落，如果再任此种情况发展下去，北京的饮用水会在某一天告急，最坏的一种可能，是整个城市不得不放弃现在的重任，施行大迁移！

顺义缺水，潮白无波，这是多么严重的生态环境问题！据《长安客话》："顺义县有井，一日三溢，海潮则大溢，或云源与海通，民疏其水为渠，灌田百亩，号曰圣井。"不管这口井还在不在,如今顺义地下的水资源跟当年相比,真不可同日而语了。河里连续几年无水,还会造成与水有关的生物链的断裂。据元代熊梦祥的《析津志辑佚》,那时北京地区水域普遍存在的禽鸟有:雉鸡、锦扎、鹧鸪、赤眼鹳、喜鹊、乌鸦、白颈鸦、斑鸠、翠禽、山鹧、山和尚、早种谷、拖白练、乐官头、杜鹃、黑翼、胭脂鸡、青灰弗、黄灰弗、啄木、绊鹧、鹌鹑、山雉、拖红练……这是把特殊品种如朱鹭、白鹇、钩觜鹭鹚、角鸡等排除在外的一个名单,他特别注明:"以上在处通有。"但我们今天究竟还能见到多少种呢?在潮白中游无波的情况下,所剩下的数种恐怕也难永栖吧?

深秋时分,怀着悲波悯流的情怀,我去画潮白河枯涸河床里的衰草残苇以及周边树林小径。在写生过程里,我目睹了河床中一个原来的绿岛(如今成了一座旱丘)上燃起了野火,先是大片的枯草迎风掀起红色火苗,后来几棵仍未落净灰绿枯叶的树木也燃了起来,冒出长长的黑烟……得到报警电话后,有关部门马上派来了车辆人员。原来那旁边满是可以取用的河水,扑灭野火绝不困难,现在却一筹莫展,最后只能采取消极的办法,即在周边防范,任野火在那岛上燃尽自灭,好在那岛上并无任何房屋电缆等物,离大桥也还有相当距离,尚不至于造成直接的经济损失。但如此这般的景象,难道不是大自然在大声提醒我们:怎能再任此种河中无水、桥下无波的状态继续下去?

是的,北京城在迅猛发展,滚滚车流已经使得六环路的立交桥巍然屹立,但这种发展决不应以自然河床断流为代价啊!我呼吁:一定要尽快让顺义境内的潮白河恢复它的畅流碧波!

寻觅满井

北京曾有一处自然风景——满井。据明代刘侗、于奕正合著的《帝京景物略》记载："出安定门外，循古濠而东五里，见古井，井面五尺，无收有干，干石三尺，井高于地，泉高于井，四时不落，百亩一润，所谓滥泉也。……满井旁，藤老藓，草深烟，中藏小亭，昼不见日。春初柳黄时，麦田以井故，鬕毳且秀。游人泉而茗者，罍而歌者，村妆而鬈者，道相属……"其实，明代的满井不光可供春游，著名的小品文大家袁中郎的《游满井记》所写的就是一次冬末之游："天稍和，偕数友出东直，至满井。高柳夹堤，土膏微润，一望空阔，若脱笼之鹄。于时冰皮始解，波色乍明，鳞浪层层，清澈见底，晶晶然如镜之新开，而冷光之乍出于匣也。山峦为晴雪所洗，娟然如拭，鲜妍明媚……风力虽尚劲，然徒步则汗出浃背。凡曝沙之鸟，呷浪之鳞，悠然自得，毛羽鳞鬣之间，皆有喜气……"可见那时的满井堪称京华一绝佳之境。

到了清代乾隆年间，汪启淑著《水曹清暇录》，也还这样描写满井："满井在安定门外，井高于地，泉平于眉，冬夏不竭。"虽说那涌泉不再"滥流"，但"井旁丰草修藤，绿茸葱蒨。土人酌泉设茶肆，游者颇多。"文人雅士留下了不少游满井的诗文，如林尧俞的《满井》诗云："畦淳渔藻人，林影鸟巢深"，显然还足资观览畅神。

但是到了清末民初，曼殊震钧著《天咫偶闻》，则已经是这样的记载："满井之游，盛称于前代，康乾以后，无道及之者。今则破甃秋倾，横临官道。白沙夕起，远接荒村。欲问昔日之古木苍藤，则几如灞岸隋隄，无复藏鸦故迹矣！"这说明随着地下水位的大大降低，地表上的植被也相继凋零枯萎殆尽。

我自 1988 年以后，一直居住在安定门外，因此生出寻觅满井遗迹之心。"出安定门外，循古濠而东五里"，这路径现在也还大体存在。"古濠"亦即古护城河，安定门的城门城墙虽然荡然无存，护城河却好好的还在，河沿东侧的马路一直走五华里，可以到达一处现在叫柳芳的，楼房林立的居民区，哪里还有什么乡野风光，更没有任何水井——哪怕是一口枯井，而且北望东望西望也都不可能看到任何山峦的影子——哪怕是最晴和的天气，天际轮廓线全是遮蔽着自然风光的高楼大厦。满井知何在？空余史书名。不过，柳芳这个地名还不错，至少还能产生些有关满井的美妙意象。

后来我欣喜地在北京最新游览图上，发现了满井字样。那是出德胜门往西北方向，大约16公里，已经是昌平区所属的沙河再往北一点，有个地方叫满井。那么个地理位置，与前述古书所记录的完全相左，显然此满井非彼满井也。后来见到清人吴长元的《宸垣识略》，据他说，德胜门西北东鹰房村也有一个称满井的景观，但那并不是一口水井，而是"广可丈余，围以甄甃，泉味清甘，四时不竭，水溢于地，流数百步而为池，居人汲饮赖之。"根据这番形容，那应该是个由涌泉形成的大池塘。这处水景不知如今尚有遗迹否？我也打算今后抽暇踏访一番。

仔细阅读袁中郎的那篇游记，我有些疑惑。他偕友赴满井出的是东直门，满井既然是在安定门外向东五里处，如出东直门再往北行数里当然也还算是捷径，但他所见到的，据描写，不大像是一口井，倒像是一个池塘。也是吴长元的《宸垣识略》，说是"安定门外东行五里，观音寺之侧有高井，一润百亩，四时流溢"，这高井与沙河北边东鹰房村的满井常与正牌的满井"方名互讹"，当年袁中郎冬末所游的会不会是观音寺旁的那个高井呢？而我在现在的北京游览图上，又发现出东直门外先往东再稍往南约十多里外，仍有一处地方叫高井，充满了神秘感，也许那里仍会有相当幽雅的水景存在？多半也是令我徒生奇想而空留其名的地方吧？

这样地寻觅北京曾经有过的一处小风景，并不纯然是闲来无事，以此步行健身。想到脚下的这块土地的水资源的流失减降，自然植被的萎缩乃至消失，心情是沉重的。

城市建设确实在蓬勃发展，但我们怎能只有人工喷泉和钢筋水泥玻璃幕墙的"森林"，而没有满井那样的自然野趣？把满井寻找回来的期望可能是无法实现了，但对北京城区尚存的颇具自然生态的风景区域，比如什刹海的珍重保护，难道不应该加深思想上的认识，加强实践中的力度吗？

重新打扮泡子河

以往北京的主要客运火车站是东便门迤里的东客站，凡重要线路的快车几乎都从那里进出。进出的火车在东便门外会过一座铁桥，桥下是一道河湾，二十来年前，那段河湾的景观实在不能恭维，岸边尽是些简陋的平房，还有些堆放杂物的空场，绿化差，水质浑，令火车内的旅客很是败兴。旅客们所看到的那个河湾，叫泡子河。如今北京虽然新建造了体量庞大的西客站，仍有不少线路仍以东站为起止地，因此，泡子河也依然还是北京的门面。北京人是最爱面子的。如今的泡子河经过初步整治，周边绿化搞得不错，河水也清亮许多，作为北京的门面之一，北京人不至于再惭愧了。

但是，如今的泡子河仍不能令人真正满意。要知道，在明、清两代，泡子河是北京的名胜之一。这道河湾原来西通北京外城，与西部来自玉泉山的水系相连，现在则已经不复西通，但它往南仍与北京南护城河以及龙潭湖水系相连，往东，则仍构成长河，即通惠河，流到通州与大运河贯通，可谓一处重要的水域枢纽。明代的

《帝京景物略》称此处园亭、林木、芦荻、鱼鸟皆丰茂可观。清代《天咫偶闻》记载泡子河春日景象："桃红初沐，柳翠乍剪，高墉左环，春波右泻，石桥宛转，宛若重虹，高台参差，半笼晓雾……"泡子河东北面有古观象台，再往北有贡院，西南则有蟠桃宫，因此也是人们礼天、祈吉、求福之余欢聚玩乐的空间。那里酒肆饭店颇多，茶帘酒招飘荡于绿树间，肆主设什不闲、八角鼓等游艺娱客，著名的酒肆饭馆有大花障、望海楼等。春日东便门城墙下时兴跑马比赛，冬日冻结的冰面上时兴坐冰筏遛弯儿。清代竹枝词道："蟠桃宫里看烧香，玩耍沿河日正长，童冠归来天尚早，大通桥上望漕粮。"如今通火车的那座桥，也许就盖在昔日大通桥的旧址上吧？直到晚清，泡子河里仍能见到运粮进城的大船，辛亥革命后，这样的漕运景观消失了，茶楼酒肆也渐次萧条，但在泡子河的两道闸门之间，"夏季有游船可资代步，两岸芦苇掩映，垂柳疏杨，夹河森荫，岸旁村舍三五，点缀其间，风景绝佳。夕阳西下，渔舟唱晚，尤具林壑景象。"——这是1935年《北平旅行指南》上的介绍，可见六十多年前的泡子河虽然不复繁华，倒也还保留了浓郁的野趣。

如今泡子河北岸是一派高楼大厦。西南角的蟠桃宫，二十年前我住劲松地区，进城时常骑自行车从那位置过，还可以依稀辨认出宫门，并且在外墙一块石头上还刻有"蟠桃宫"字样，如今则荡然无存，架起了立体交叉桥，开发出一大片欧陆风味的商品房。南面还算有较大旷地，林木尚多。整个泡子河周边布置成可供市民休息的绿地，但无甚特点，缺乏吸引力。

我以为，泡子河周遭，特别是其东、南两面，应该重新规划打扮。倒并不一定要恢复蟠桃宫或很多的茶楼酒肆，但一定要给那片空间以鲜明的特点。这特点也不难确定。据考证，大文豪曹雪芹从南京随获罪落魄的父母迁北京以后，一度住在离泡子河不远的蒜市口一所十八间半的旧院落里，泡子河是他常去的地方，他的好朋友敦诚、敦敏等多次与他同游，敦敏的诗句"……古渡花争发，荒祠草又新；野烟人上冢，啼鸟自含春；无限幽栖意，临风一怆神；青帘遥隔岸，野肆绿杨堤；把酒问渔艇，临风试马蹄……"应该就是包括他们在通惠河一带畅游的写照，正是在这里，曹雪芹生发出"秦淮旧梦人犹在，燕市悲歌酒易酿"的无限感慨，强化了创作《红楼梦》的灵感。鉴于此，我建议以纪念曹雪芹和《红楼梦》为主题，把泡子河地区重作规划，细加打扮，这里可以树立曹雪芹的雕像，建造相关的展室，布置与《红楼梦》相关联的园林小品，适当点缀些具有老北京特色的茶馆饭铺，在某些特定的日子组织具有浓郁民俗色彩的庙会式活动，并进一步优化该处的植被水质，恢复水域里的游船……使其升格为北京一处优雅的文化名胜。出现这样的一个泡子河，该不是我的奢望吧？

床前明月光

持续一整天的沙尘暴搅得天昏地暗，朋友来电话问我在做什么，我说仍在电脑上敲《红楼梦》探佚小说，他在话筒那边吼道："虎狼屯于阶陛，你尚谈因果！"他的心情我理解。

晚上看电视，北京电视台的晚间新闻里播出了两位报社记者刚拍回来的一些照片，拍摄地丰宁县紧挨着北京，镜头向我们展现了沙漠一直移到农家门前，封了门的可怕情景。那拍摄点距北京怀柔县境仅十八公里，距我敲电脑的温榆河畔的书房约四十公里，距天安门广场若直线计算也远不过八十公里。沙漠南移，沙暴肆虐，高空气流甚至把浓稠的沙土裹挟到长江南北，用遥控器一点，江苏电视台节目里有南京为沙尘所蔽的镜头，上海电视台节目里正报导清洁工们紧张收拾前些天泥浆雨污染的残局……

有不少人在恶性开发，滥砍滥伐，从沙漠南移中捞取可耻的票子。也有不少人在努力植树，培育护卫北京的绿化林带，力图遏止沙漠的扩大。双方似乎在拔河，一决雌雄。

窗外是呼啸昏黄一片，能够看清的只是些在沙尘流里翻飞的灰白、黢黑的破塑料袋。可是我的《红楼梦》探佚故事里的人物正活动在佳木茏葱、奇花烁灼的大观园里，她过了荼蘼架，再入木香棚，越牡丹亭，度芍药圃，入蔷薇院，出芭蕉坞……

我们是曹雪芹的后人，曹雪芹又是唐诗宋词那些作者的后人，我们的前人们这样描写他们的生活环境："出门见南山，引领意无限，秀色难为名，苍翠日在眼"，"空山新雨后，天气晚来秋，明月松间照，清泉石上流……"，"小径红稀，芳郊绿遍，高台树色阴阴见"，"行云却在行舟下，空水澄鲜，俯仰留连，疑是湖中别有天"，"日暖桑麻光似泼，风来蒿艾气如薰"……

作为后人，我们有愧。沙漠甚至扩大到了北京的边上。电视里还报导，福建南平一带，四川大渡河一带，大面积水域里，鱼类突发性集体死亡，那些镜头极其恐怖，惨不忍睹。

该立即写些吁请绿化大地、净化水源的文章。但随手一点遥控器，这个频道正播出追捕人贩子的纪实报导，那个频道讨论着一桩十三岁学生杀母的案件……

恐怕，更应该呼吁的，是绿化心灵，净化心理。为了钱，有卖自己肉身的，有拐骗别人肉身的，当然，那首先是有持币待购的一方。这类事情还好剖析鞭挞。像那弑母事件，母亲认准了一条胡同：高分、升学、文凭、成功人士。儿子本来很老实努力，给她玩命地去钻那胡同，然而，母亲只许他分数一次比一次高，除了厉声唠叨就是严格监视，于是，儿子因焦虑而懵乱，因懵乱而绝望，因绝望而疯狂，因疯狂而"与汝偕亡"——这里面所蕴含的内容，辨析起来就不是那么简单，而且在讨论中也很难在各个方面上达成共识。在这时代列车急速大拐弯的时期里，价值观念，欲望指向，在震荡中变得那么难以把握，岂是写些读些小文章，便能解决问题的。

但还是要努力。甚至连《红楼梦》探佚，也终于还是能融入一个总目标里：要吁请国人在心灵里栽植诗意，那是最根本的绿化。一位小朋友问我："伯伯，什么是'床前明月光'？"那时我正在她家，她家窗户里只能接收到对面街上店铺倾泻进来的，滚动闪烁的霓虹灯光影。在综合治理自然环境、社会环境，特别是国人普遍多发的求富浮躁病的巨大工程里，我们这些人所能奉献的绵薄之力，其中的一种，应该就是"栽诗"，或者就仿佛打点滴似的，给人们的心灵输送"诗意"。我坚信，一个能背诵李白《静夜思》，能珍惜清亮的月光，能哪怕偶尔地"低头思故乡"，能让一股诗的柔情汩汩从心灵中流淌的中国人，他就有可能多做些好事善事，起码不会做出那些最粗鄙丑恶的坏事吧。

野景是金

北京正在规划第二道绿化隔离带，这是一桩功德无量的大事。在已经建成的第一道绿化隔离带里，基本上都是人工营造的景观，因为原有的郊区野景，在城市建筑空间的急剧膨胀过程中，已经被摧毁殆尽。现在我们看到的树木是陆续按规划栽种的，草坪是按图纸铺敷的，花卉是按预想安置的，这使得一般城市人的眼光，已经习惯于这种规整的、被修饬的景观，也就是严格意义上的"绿化"——即本来不"绿"或不够"绿"而将其"化"为"绿色空间"。正在规划中的第二道绿化隔离带里，也存在着许多目前不"绿"或不够"绿"而需要将其"化"为"绿"的限建土木工程的空间，绿化师将为那些空间精心设计出"化"的方案，使其增"绿"或生"绿"，这自不消说。但在规划中的第二道绿化隔离带里，目前也存在着数量可观的野景，也就是其植被大体而言不是刻意人工绿化的产物，而是多少具有些原生态的荒芜感的绿色空间。比如在目前拟就的第二道绿化隔离带的9片楔形绿色限建区里，其中的第3片和第4片——来广营至温榆河至后沙峪北、机场南部沿温榆河两岸——我就亲眼看到若干毋庸去"化"就已经颇"绿"的野景。而且我觉得第4片的范围应该加以扩大，把温榆河那个流段东岸的绿化"隔离锲"再向东展拓到顺义李桥镇的西陲，这其间有一条常被各方人士忽略的小中河。就我目击考察，小中河两岸的自然生态的植被，特别是河边的芦、荻、蒲、苇等野生植物，相当丰茂。像这样的地段所面临的问题，就不是如何将其"化"掉，而是一个如何维护、改进现状，使其不要被"化"掉的问题。

记得上世纪50年代初，那时我还是个儿童，住在北京城闹市区一条胡同的大四合院里，那院子是人民海关的宿舍，几乎各家都有少年儿童。到了暑假，院里大些的少年，会组织我们一群孩子，到郊区去野游，那一天我们会分别带上捕虫网、标本夹、鱼竿、小桶，当然还有饮水瓶和干粮，先坐公共汽车到最后一站下来，那已经是城墙、城门之外几里路的地方了，然后再步行，穿过被耕种的农田中的小径，往往并不需要再走很远，大概是相当于目前三环路以内的地方，就会置身在完全是自然生态的野地里。那是真正意义上的田野（如今三、四环路边连田地也很难见到，更遑论一个带"野"字的空间）。虽然高大的树木不多，但成片杂生的小树林和灌木丛随处可见，野花野草色彩动人气味清香，更可喜的是有许多池塘、溪流、小河、湿地，那里面的水生植物特别惹人喜爱，不仅有芦苇、蒲草、水葱，还有许多叫不出名字的美丽存在。也不仅是植物喜人，各种禽鸟、鱼、蛙、昆虫甚至小兽也繁多而有趣。我印象最深刻的，是有一回从水里钓上来一条从嘴边到半个身子都长着肉须的怪鱼，还看见过一条一尺长的娃娃鱼扭动着身子躲避我们滑进水里一个洞穴去了，还曾把所捕获的各种大小不一或衣着朴素或浓妆霓裳的蝴蝶夹满了一大本，又曾捉到过胖胖的刺猬，还曾把草丛里发现的一个鸟巢连其中的两只花壳蛋一起带回过家……可惜到了上世纪 70 年代初，先是北京的城墙、城门几乎被拆毁殆尽，后来像我上面所描绘的那种原生态的田野也萎缩到了难觅踪影的地步。1978 年改革开放以后，可喜的事物层出不穷，但随着都市的扩大，大片大片的农村土地被征用，盖起的楼房越来越多，庄稼地在四环路边几近消失，有野景野趣的自然植被空间在五环路与六环路之间也所剩无多，因此，我们不能只看到可喜的一面，也该看到可惜、可叹的一面。

我们现在都懂得要维护生态环境就一定要善待野生动物，但我们似乎还不大重视善待野生植物。城市里的绿化，似乎有一条不成文的规定，就是完全不容野生状态的植被存在。比如有的公园里本来有大片植株间距不均等、树种混杂的带野趣的树林子，很美丽，也很受一般游人喜爱，但有关部门却非将其完全砍伐掉，重新如摆棋子般地栽种上同一品种的树木，还把树木之间的地面砌上方砖，在每团树木周围围上铁栅，如此花大价钱大力气消灭野趣，营造人工景观，不知究竟图的是什么？这样的"绿化"，是我一贯反对的。我还曾写过文章，为某公园里小山坡上每到初秋就成片开放的野生多头菊请命，认为它们有在那里生存的权利，实际上它们既娱游人眼目，散发的气息也能驱杀蚊虫，是很好的生命体，何以就非将它们刈除呢？

我问过正在费劲拔除它们的绿化工，他说这是领导决定的，又说这些多头菊不是我们种的，是野生野长的，令我不得要领。后来那山坡上在拔除了野生多头菊的地方补铺了一种驯化的绿草，每次再到那地方，我就总觉得不复有诗意，而是面对一篇虽然中规中矩却了无意趣的八股文似的。

市区的绿化问题，这里不多作讨论。也许，在市区里适度地刈除野生植被，还有其一定的道理。但现在规划中的北京第二道绿化隔离带，会牵扯到若干还大体保持着野生状态的植被，如上面举出的温榆河与小中河两岸的某些区域，我的观点是，野景是金，而人工营造的绿化带充其量是银，务请维护那些黄金般可贵的野生植被！野生的树木，似乎还比较能得到"手下留情"的对待，野生的灌木草丛，就很容易被一些人视为"乱象"，其实那些历经岁月考验的"杂乱"的灌木草丛才是最能固土护墒的宝贝，并且是真正富有诗意的存在。说严重点，不懂得爱护野生植被，跟不懂得爱护野生动物一样，是一种病态的文化心理，就跟不喜欢天足而专嗜欣赏"三寸金莲"一样！

尽管在关于北京第二道绿化隔离带的规划里，已经注意到要把原有的自然植被与人工营造的植被交织起来，但我还是想强调，这种交织应该不是被动的，应该不是在歧视野生植被的前提下进行的——仿佛保留它们是出于"不得已而为之"，或仅仅是觉得这样做可以"省钱省事"。我以为，在这条新的绿化隔离带里，甚至应该有意识地培植出一些不必那么规整的，不去刻意修饰的，能在岁月嬗递中发展为野景的绿色空间。

翁蔚洇润之气

　　若问我为什么喜欢南京，答曰：喜欢的是它那股子翁蔚洇润之气。"翁蔚洇润"这个四字词是从《红楼梦》里引出来的，不知道以前的古书里有没有这样一个词汇，大概和"凤尾森森、龙吟细细"等词汇一样，是曹雪芹独创的吧。

　　南京又名石头城，历史上多次被定为首都，也多次遭到浩劫，但它仿佛是一只特别善于涅槃的凤凰，经历了那么多历史的烽烟烈焰洗礼，不但没有变得萧索枯涩，而是越发地充溢着翁蔚洇润之气。

　　所谓翁蔚洇润，首先是指绿化好，植被繁茂，而且滋润光鲜，饱含水气。市区街道多为梧桐夹道，花坛满布，草坪如茵；玄武湖、鸡鸣寺一带，有些区域的植被状态还颇具野气；特别醉人的是近郊紫金山—明孝陵—中山陵—灵谷寺那一大片风景区，近年来调理得更如画如诗。2000 年秋季全国书市期间，签售《课外语文》之余，与我的助手鄂力前往游览，那天时雨时晴，雨丝风片不伤游兴，偶现的秋阳更添情趣。记得我们二人登上灵谷塔高处，只见满山青翠，所有的树木都在呼吐岚气，那些缥缈的岚气启动我们无限美好的遐想，也令我们身体发肤鼻息全感受到舒爽的浸润滋养。鄂力是头一回到南京，他说北京西山是他常游之处，仲夏的八大处碧绿阴凉，秋来香山的红叶别具一格，流连其间，也都能触发灵感升华思绪，但却从来未曾见到过如同南京此处一般的旺沛岚气。我们以那岚气为背景相互拍摄了若干照片，他又专门拍了些岚气氤氲的空镜头。南京能翁蔚洇润，固然有其地理位置的因素，那毕竟已是江南，北京在长城边上，挨着塞外，空气湿度难以达到南京那样的程度，不好生硬地加以对比。但北京与南京也有相似之处，就是它们都是湖城。南京市区近郊的湖面，大的有玄武湖、莫愁湖两处，另外还有若干较小的，如今都整治得水丰波清，市内的秦淮河水系也有所疏浚，城市整体面貌滋润光泽，跟水系的维护展拓也是息息相关的。北京市区近郊的湖面也颇多，护城河水系也很有基础，近年来也很重视整治疏浚，特别是西部昆玉河航线的开通，已成为一道亮丽的新风景线。但总体而言，北京对自身水系的珍惜利用程度还应该进一步提高。人们都知道由于北京以北部分地域的生态恶化，沙尘暴时时袭击北京，为此已强化了植树绿化的工作，这当然是必要的，但植树一定要和水系的整治相结合，才能彰显效果。北京的东、北护城河水系，特别是从东便门迤东泡子河—通惠河一直到通州大运河的水系，现在就还很不尽人意，亟待恢复到历史上最佳状态，并进一步加以发展，以使北京的空气也能经常涵润宜人。

曹雪芹一生与两座城市血肉相连，他的密友敦敏赠他的诗里有"燕市哭歌悲遇合，秦淮风月忆繁华"的句子。虽然说到处都会有文学，有作家，但南京确实是个历史上文学积淀特别丰厚的地方。所谓蓊蔚洇润，似乎也可以拿来比喻这地方那秀媚水灵的文学传统。这地方似乎特别适宜纯文学静默地开放出辛夷花般艳丽的蕾朵。我隐隐觉得，上世纪中这里的一些年轻作家试图形成"探索者"流派，到世纪末又有苏童、叶兆言那样擅写婉约、素馨风味的小说家出现，以至于《钟山》杂志坚持达二十多年的独特风格，都可以纳入以蓊蔚洇润为概括的人文传统之中。作为定居北京的写作者，也许是受曹雪芹影响太深，我觉得所谓北京味儿是最适宜与南京味儿糅合融通的。愿蓊蔚洇润之气贯通于北南二京。

车厢座

一位定居境外的亲戚，很久没回中国了，前些时到了北京，我在一家饭馆请他小酌，他一走进那饭馆，便扬起眉毛，先"啊"了一声，然后惊叹地说："有车厢座了！"

车厢座，就是仿照火车车厢里的那种格局，所安置的高靠背椅、相对共用一张长条桌案的座席。这有什么可惊叹的呢？我和他选了一个车厢座坐下。坐定点好菜，把酒闲聊，他告诉我，这车厢座，令他联想多多。原来，50 年代中后期，那时他刚从大学毕业，分配在北京一所设计院工作，每逢星期天，他总爱到王府井闲逛，并且，大约每月一次，到东华门大街一家有高台阶的西餐馆里，和所约的朋友，或恋人，坐进车厢座，吃吃西餐、聊聊苏联电影。他说那时那家西餐馆的菜价不算贵，作为没有家庭负担的技术员，每月吃一回西餐，他的工资还是对付得了的。可是，好景不常，他被划为了"右派"，被划的根据，并不是他有什么言论，而是他那爱到王府井吃西餐的行为，他说开始怎么也想不通，要说他有问题，顶多也就是"追求资产阶级生活方式"吧，怎么会成了"反党反社会主义"呢？

后来在批斗会上，有人发言，说他问题的要害，是"喜欢车厢座"，因为"车厢座的高靠背椅，形成了一个可以肆意发泄不满的阴暗角落"，他喜欢坐进车厢座，自然也就是喜欢"阴暗角落"了，什么人才喜欢"阴暗角落"呢？自然是阶级敌人啦！他就这么被"类推"到"不耻于人类的狗屎堆"里去了。

据他说，因为他失身于车厢座，所以，自那以后，他就特别忌讳车厢座，而饭馆中的车厢座，不知是有关方面陆续通知减少、拆除呢，还是在社会生活方式的变化中被无形消蚀，总而言之，到"文革"中"破四旧"以后，基本上绝迹于中国大陆，甚至于在"四人帮"倒台以后，改革、开放的初期，饭馆比较注重装潢了，也有了私人饭馆，可是，厅堂里一般还都是大圆桌、八仙方桌，一张桌子，两拨甚至三拨互不认识的人共用，还是相当普遍的现象，直到80年代初期，也就是他移居国外之前，饭馆中仅供四位以下食客自用的小餐桌，才多了起来，而车厢座似仍未重现，至少是仍未大量重现。我想了想，似乎大体上是那么个情况。中国人进饭馆，大快朵颐是首要的，这在今天仍是不变的习俗，但现在进饭馆的中国人，尤其是青年人，把共同进餐视为私人社交的一种方式，特别是把欢聚闲聊甚至谈情说爱列为享受的越来越多了，则已绝对不能容忍与不相干的人共用一桌，进餐馆后一般都要以挑剔的目光选择座席，多半希望所占据的位置能构成一个相对独立的谈话区，在那里既听不清别桌的人在说些什么，当然自己所说的更不要让别桌的听去，于是，厅堂中较具遮蔽性的座席，尤其是车厢座，便往往成为抢手的位置。那天我和那位亲戚所去的饭馆，车厢座率先客满，便是明证。说实在的，我对车厢座并无特别的好感，更缺少诸多的联想，但亲戚对车厢座频频感慨，甚至于说："见微知著，这车厢座的大量出现，说明祖国世道在进步，普通人的话语空间，私密的话语空间，是大大地得到展拓了！"我告诉他，确实，民间空间是大大地得到了展拓，但是，在收获鲜花的同时，也不能回避杂草，甚至于毒菌，例如，有的歌厅舞榭、旅店饭馆，给一些大款、贪官，提供着钱权交易、色情活动的私密空间，那可是令人厌恶透顶的啊！他说，因此，车厢座更加可爱，它私密而不鬼祟，舒适而不奢靡，典雅而不烦琐，实在是恋人好友、小家小户浅酌慢饮、细品闲谈的好空间！

我们正边吃边聊，服务小姐送来了水盅蜡烛，在幽红的烛光中，我想说句玩笑话："阴暗的角落……"被他一个手势截断了，他徐徐吐出的话语是："多么温馨啊……早该如此的呀……"说时，眼里竟分明闪烁着泪光……

营造个性空间

虽说旅游过世界上若干地方，但一般都是观览其公众共享空间，如在所到处没有亲朋好友，是不大可能进入其居民家中了解其居室装修布置情况的。在中国，如北京什刹海地区的胡同游，可以安排外国游客进入胡同院落里的普通家庭，让他们尽兴观览、拍照、询问，而且还一起包饺子，围桌共餐，这样接待旅游者的方式，在国外很少见。当然，几乎各个国家和地区都有关于家居装修布置的专门杂志，这样的杂志我倒是翻阅过不少，一般都印制得非常精美，图片多过文字，但给我的总体感觉，是随着全球一体化进程的加快，以欧美发达国家为楷模的生活方式已经普及到几乎世界上所有的地方。这些杂志的主要篇幅，特别是所刊登的图片，风格大体相近，如在一所住宅里，不外乎都要有一个颇大的起居室，而起居室里最重要的东西，不外是沙发与视听电器，从以色列到巴西，从沙特阿拉伯到卢旺达，富裕人家的起居室布置方法大同小异，或许其间会有些本民族本地区的特色点缀，但坚持还按其祖上的生活方式布置使用的例子，已经很少。至于卫生间和厨房的格局，那更是越来越全球趋同，相互的不同多半只能在色调上去下工夫了。

在这样一种全球趋同的浪潮下，营造具有特色的个性空间，便成为小康家庭中雅皮一族的重要追求了。

在北欧，我曾到一户人家做客。那家的先生是个土木工程师，夫人是在大学里教汉语的。他们买下一座空宅后，不是一次性装修完毕然后乔迁进去，而是先搬进去，也不请别人来装修，自己利用每天下班以后的时间，特别是节假日，慢慢地来伺弄。我去做客时，已经大体成型，但仍有若干部分，尚待进一步加工调整。就我所看到的情况，应该说他们对自己家庭的布置非常地独特，昭显出他们两个人的个性。大体而言，他们是"功能至上者"，对居室的装修完全基于实用，一切没有实际用处的纯装饰性物件一律不要。那么，他们所营造出的空间是否枯燥乏味呢？绝不。例如书房，书架直接以墙体为靠背，放书的格架就直接固定在墙体上，也不要什么玻璃门来遮挡，这样把四壁的图书搁满了以后，厚薄高低不一的图书那色彩各异的书脊就成为了非常奇特的壁饰。他们都嗜书如命，尽管如今有了电脑，可以从网上获得各种信息，但他们仍把捧读纸制品当成最大的乐事，因此他们竟不把电脑搁在书房，而是搁在了餐室一角。在书房里，他们布置了两张宽大而舒适，可以调节角度，并且带脚凳的安乐沙发，沙发后有特别挑选来的，可以变化角度与亮度的落地式照明灯。最有趣的是，他们在各自的安乐椅旁都安装了哪里也买不来，完全是自己设计制造的"卧式旋转书柜"，那书柜使用面朝上，高度恰好让人坐在椅子上能够伸手取用，那里面不时更换为他们近期所特别要阅读的参考书与休闲书。

与上述追求相反的个性化家居布置，是我在马来西亚的砂捞越一位达雅人家中所见，他家在功能布置方面也趋同于一般，如起居室也布置沙发，有整套的视听设备，厨房卫生间也跟西方人家差不多；但在装饰性布置方面，他使用了大量当地手工土布制成的布幔，这些大大小小、宽度不一、色彩鲜明的布幔出现在居室的各个部位，或从屋梁上垂下，或在墙边固定，或从地面往上伸展顶端以细绳吊到梁上固定；这些布幔有的还可以说是有点实用价值，比如分切室内的功能区域，在靠窗处遮蔽烈日照晒等等，但大多数纯粹是用来自我欣赏的，用他的话说，就是"我喜欢它们随时出现在我眼前"。

在北京，我也见到过一例凸显个性情趣的家居布置。主人是位集邮迷。他跟我坦言自己其实并无什么了不起的邮品收藏，喜欢邮票并非期待升值，而是觉得那方寸之间确实蕴涵着丰富的知识与美感。一进他那单元，玄关与内厅衔接的部分，他用三合板为材料，在四周布置了邮票边缘的那种锯齿，使你望进去觉得他家内部就是一枚邮票的画面。起居室的墙上，他布置了一枚放大到巨画尺寸的，他所最喜爱的风景题材的邮票。他说他装修居室时也参考有关的杂志画册，从中提取了不少有用或喜欢的元素，但在居室布置的整体把握上，他却刻意创新，"不是为了让别人来看，来评论夸赞，而是为了让我自己一进门以后能高兴地说：啊，这是我的，独一份的空间！"

空

先说两件在直感上引出震动的事。第一件，十几年前在美国纽约著名的艺术家聚居地苏荷，与台湾旅美画家韩湘宁邂逅，他邀我到家小坐，我进门就愣住了——眼前一下子呈现着大约两百平米的无遮蔽空间，当中摆放着几件造型极简洁的木制桌椅，远处犄角搁着些颜料桶和作画的工具，一面墙是些开阔的落地窗，阳光泼洒地倾泻而入，另一面墙倚立着两三幅他已完成或正创作中的巨画，整个房间里氤氲着咖啡、颜料混合成的特殊气息。后来我了解到，纽约曼哈顿旧城有若干地区，保留着不少那样的大栋红砖楼房，外墙上往往显露出折转而下的铁制飞梯，当年本是车间或仓库，后来工厂陆续迁走，废弃了一段时间，再后，被不少年轻的风雅之士以廉价购租，苏荷一带更逐渐汇集了一批艺术家，他们各显身手，将其改造为画廊、画室和住宅。当然改造手法多种多样，但像韩湘宁那样尽量保留原车间或仓库的阔敞空间，以"空"的韵味取胜的，最为流行。韩湘宁的那些巨画，站近了不知所云，离远了细观,才看出表现的是大都会里充满动感的人群,画中的每一人物或截取大半身,或只有半身,或只剩胸颈部以上,都是用喷枪以杯碗大的圆形色斑构成的,似是而非,似非而是。那样的巨画,从技术上来说没有那样空阔的画室是不可能绘制的,但空阔的意义于韩湘宁来说不仅是技术上的保障,他对我说,"空"给予了他一种"放大人生"的灵感。登上画室一角的螺旋楼梯,韩湘宁带我到他的生活区去,那空间差不多与下面画室一般大,除了卧室与卫生间有墙体遮蔽,厨房、餐厅、客厅、起居室、书房,包括摆放着一架三角钢琴的区域,全都只以至多齐腿根的家具物品界分,两面相邻的楼墙上是一系列的落地玻璃窗,那时天刚放黑,窗外曼哈顿的万家灯火倾窗扑入,令人刻骨铭心地意识到"人在红尘",有种悲喜交集的滋味蹿入鼻腔。

那次从美国回到北京,梳理自己的观感,先问自己:以目前中国的国情,纽约韩湘宁式的空间使用,难道是值得一唱三叹的么?而且,就是在美国,那样的情形也并不普遍,更多的居住模式,是连体或单栋的小楼或平房,里面的房间再大,一般也还不会大到那样的地步。可为什么又总愿一再回味韩宅给自己的刺激呢?其实,在美国也曾在洛杉矶跑到著名的豪宅区比华利山庄转悠过,再,从中国引进的美国肥皂剧《豪门恩怨》里,可以尽兴观看那些建筑面积很大的豪宅内部的情形,似乎也并不怎么被打动,甚至觉得流于堆砌乃至俗艳,那么,从韩宅获得的印象里,究竟是什么因素耐人寻味呢?

于是我要说到第二件事。上世纪80年代初,我作为编辑去一位单身女士家约稿,她住在一条古老胡同里的一个大杂院的最里边的一间小平房里。敲开门以后,她把我往屋里让,呀,呈现在我眼前的景象,竟引出了乍见纽约韩湘宁画室那样的审美震动。我对她脱口而出道:"你这儿真——空——呀!"怎么回事呢?她那屋子顶棚和四壁刷得雪白,不贴挂任何装饰,地面就是光亮的水泥,整个房间里,只有两样东西，一样是一张一望而知很舒服的，以米色底子上现出褐色花样的蜡染布整体覆盖的单人弹簧床，那床不是靠着墙放，而是斜置在房间里；另一样是一架非常雍容的单人布艺沙发，色彩在红褐过渡之间，也不靠墙，挨近床的前部与其平行放置。那间小屋另开一门，通入添建的一间小厨房，里面隔出一部分作为密封的储藏间，她说她的衣服书籍杂物什么的都在那里面，其余的部分刚好可以做饭，有一张餐桌两把折叠椅，那餐桌上有吊灯，也兼她的书桌。和她对坐在餐桌两边以后，我且顾不得说约稿的事，忙问她那间正房有多少平米，她说不到十二平米，我竟不相信，心理上感觉怎么也得二十多平米；又问她那样使用屋子究竟是从何想来？她说："空就是美。"

把这两件事结合起来细琢磨，我憬悟，我们嘴里总在"空间"、"空间"地讲个没完，我们都知道建筑就是以人为手段营造空间，也会习惯地以多少平米的建筑面积、使用面积来衡量一所建筑的空间，但实际上，我们往往并不能深切地意识到，我们享受建筑，最主要的，是要享受那个由种种建筑部件从自然里切割出来的那个"空"的部分。我们往往失却了"空"感，只在那里评价建筑物的立面、构件、内装修好不好看，或一般性地衡量其功能效果如何，而部分乃至全部丧失了对"空"的心理感受与审美情趣。我在这里故意不再使用"空间"这个词，而偏强调一个"空"字，因为我们可能对"空间"这个建筑上的语汇，已经狭隘到仅仅以底面积是多少平米来感受了（或者顶多再把墙面高度算上）。上面两例里的建筑物使用者，他们都懂得"空就是美"，能够主动享受"间"里的那个"空"，特别是后例里的那位女士，她"化腐朽为神奇"的招数，可以概括为"小中见空"，她的"创作"从某种意义上来说，不比韩湘宁的巨画逊色。

但上面写到的两所房屋，原本都不是为现在户主如此使用而建造的。现在我们接下去要讨论的问题是，作为建筑师，在从事设计时，对"空"的理念或者说审美追求，是不是都那么自觉？从建造出的成品考察，我觉得，有的建筑师，他那"空间"的观念，仅仅是业主对整个建筑物的体量与使用面积的一串数字，再加上关于功能性的种种要求，他的主要美学追求，大都铆足了劲儿，扑在建筑的"非空"部分——从整体视觉效果到每一构件的"语汇"选择上，而对以种种构件所切割出的那些空间（"黑空间"与"灰空间"）里的"空之美"或者说"空之魅"，却重视不够，或者竟简直忽略不计。

建筑作品中的"空之美"，类似中国写意画中的"留白"，是非常重要的美学元素。当然，在穷得根本没办法讲究审美的破败小屋里，人连自身的尊严也可能沦丧，像上面写到的那位女士那样，竟能在陋湫中营造出"空之美"的情况，毕竟是凤毛麟角。好在我们国家在改革开放以后，一天天富起来，就住宅建筑而言，外形美观内部功能性良好的设计越来越多，搬进去大大改善了居住条件的民众也与日俱增。但遗憾的是，不少的居民搬迁前进行的装修，都搞什么吊顶啊、包暖气啊、加墙围啊、添隔断啊，装"和式"拉门啊，把阳台变成木榻啊，最近几年还流行加厚墙体布置假壁炉，又是什么嵌着多宝格的"文化墙"，净是锦上添花的措施，而且在家具的安置上更是满坑满谷地"摆阔"，仿佛一幅写意画被墨彩铺得满满的，一点"空"的感觉都没有了。不过人各有好，有的人他就喜欢堆砌繁缛，理应尊重。问题是，像上面提到的那位女士那样的居民，他们想把新居布置得能以体现"留白"之妙，而我们的建筑设计，却并未能充分考虑到其对"空"的享受需求，承重墙的安排只是机械地将居室空间划分为几个功能区域，逼得入住者只能以"大路子"布置各个空间，想尽兴地享受一番"空就是美"而不得。其实，同样的建筑面积，同样的造价，完全可以避免掉"失空"而给予入住者更多的享受"空"的可能——现在有的住宅设计已经采取除了卫生间，连厨房都敞开，完全不事先加以分割的、"全空"的方案，这样住进去的居民既可根据爱好用墙面加以切割，也可以不再设置任何墙面，从而获得类似韩湘宁住宅那样的"空美"效果。

在大体量的公众建筑设计上,对"空"的美学意蕴的追求,只要在消耗投资额上不是太孟浪,都应尽量让建筑师有所发挥。不要一听到"空",就觉得没有功能,就指斥为浪费。重要的公众建筑不仅是拿来实际使用的,也应是一件能够具有久远的欣赏价值的大型艺术品。作为一个建筑美学问题,这值得深入而细致地结合具体个案进行心平气和的讨论。公众建筑里的共享空间的"空之美",可能更多的不是体现在包围、切割其空间的那些构件上,更不是体现在所配置的如雕塑、盆栽、喷泉、沙发等附属物上,总之不一定是体现在视觉感受上,而是体现在那"空"对人的肌肉、骨骼、神经、皮肤,特别是心理、情感的触动上。要达到这样的目的,需要建筑师有很高的美学修养与专业造诣。借用一点佛教用语和《红楼梦》楔子里的话,"色即是空,空即是色",期盼建筑师们能"因空见色,由色生情,传情入色,自色悟空"!

四白落地

那是一座新启用的塔楼,住户们八仙过海、各逞其能地陆续装修完毕,纷纷开门迎客,有的更怀着兴奋的心情,希望来客能欣赏他家的精心装修与布置。那天我应两三家之约去串门儿,也顺便拜望了几家没有特别邀请我的熟人。

邀我最殷切的是小焦,我刚进门他就一一指点着他家的玄关和文化墙等他最得意之处,让我跟他分享新居焕发出的光彩。接着我又参观了几家。这里单说说我对他们居室墙面处理的印象，各具特色，但共同之处是斑斓华丽。记得十多年前我乔迁到现在的居所，也曾刻意装修过一番，但那时候好像没听说过什么文化墙，看了小焦家里的那面墙，再听他一番解说，才明白文化墙大体而言就是厅室里布置得最富装饰趣味，或集中容纳视听设备与展示主人艺术收藏的墙面。小焦家的文化墙以仿虎皮石不规则地镶砌而成，还凿去了墙体的部分水泥，使其形成一个凹槽状，电视什么的就一半嵌在里面，扩展了使用空间，显得颇为俏皮。另一家的文化墙由多宝格组成，也采取了挖凿一半水泥墙面的方式，很有点《红楼梦》大观园怡红院"满墙满壁皆系随依古董玩器之形抠成的槽子"的味道。这样凿墙装修，就不怕影响楼体的承重结构吗？也许是我的非议十分柔和，小焦等根本不在意，呵呵地笑着说，有凿的，也有添的，承重还增加了呢，接着陪我到另一家。这家的文化墙是两根爱奥尼亚式石膏立柱，护卫着一个假壁炉，炉膛里有通电后能一闪一闪发出炉火之光的玩意儿。

我为小焦以及所有改善了居住条件，并得以按照自己喜好装修布置私人空间的人们高兴。居所墙面的装修布置，大体而言，是体现主人欲望的最重要符码。有些居主突出着财富符码，喜欢以高档华贵悦己炫客；有的居主突出着品位符码，处处跟时尚接轨，希望来客能一见眼亮称雅赞酷；也有的突出着地位符码，墙上的名人字画、与高官名流的合影，既赏心悦目，也在说明着主人往来无白丁的佳况。当然更有几种符码都很重视、平分秋色的居所。有的符码意识稍弱，但充溢着琐碎的小趣味，倒也别具小康风情。我觉得，在私人空间里，只要其财富、追求、交往在法律上都不存在问题，则以上的装修布置风格都无可厚非。

我想也顺便拜访一下住顶楼的画家老王。小焦说老王不爱跟人来往，唯独他家没机会进去看，想必装修得非同寻常！我在小焦家给老王打电话，老王欢迎我去坐坐。我一进老王家眼睛就不由得睁大了。他的画室门掩着；其余的生活区，墙面是四白落地，雪洞一般。没有什么文化墙，没有多宝格，墙上不挂一幅画，天花板也不吊顶，甚至天花板上也不装灯，照明用的是造型简洁的黑色落地灯。地面保持水泥状态，但整修洗擦得非常平整光润。客厅当中只摆一套原木框架上置灰色软垫的沙发，一个上面有粗碗粗蜡的玻璃茶几。其余什么摆设也没有，甚至连绿色盆栽植物也免了。坐下来跟老王闲聊，他幽默风趣、妙语如珠。以前老王的居所可不是这等模样。我觉得他越来越像大观园蘅芜院里的那个薛宝钗了，大概是曾经沧海难为水，又有"任是无情也动人"的自信吧，他现在觉得任何显示名位、品位、富裕、快乐的符码都不必要了。他的内心，也已经四白落地，无欲无求，淡泊宁静了吧。

离开那座楼，小焦送我到街口打"的"，他一再让我形容老王家的景象，我只能跟他说就是四白落地，他很惊讶。回家途中，我心上浮起古人"人散后，一钩新月天如水"的名句，又随之浮现出丰子恺以此几笔绘出的墨线画，老王疏离名利场以后的四白落地墙，正是这类很高的文化境界啊。当然，这仅是我个人的感受。私人空间的境界取向，还是各随其好吧。

清冷香中抱膝吟

陪一位外地来京的乡亲逛故宫，她对那轩昂崇丽的建筑群赞叹不已，对宫室里的器物文玩的华美绚烂更是叹为观止。可是，临到我们要走出神武门时，她忽然问我："咦，当年皇帝皇后他们的卫生间在哪儿呢？"一下子把我问懵了。确实，在偌大的紫禁城里，似乎没有专门的卫生间。

我们自己的传统文化，好处要珍惜，精华更要使之流传永久，比如我们璀璨的"食文化"，现在它已流向全球，成为了人类共享文明中的重要组成部分，使其他国家或地区的人们大增"口福"，这是值得自豪的。不过，对我们传统文化里的缺陷，我们也应抱实事求是的态度，尤其是在与外部文化对比，暴露出不足时，应坦率承认，向其长处学习，补己不足，以提升我们自己民族的生活品质。我们的传统文化，重"口腔享受"，轻"肛门享受"，因此长期缺乏"卫生间意识"，吃饭时"食不厌精，脍不厌细"，如厕却很马虎。《红楼梦》里多次写到贵族家庭的饮食，令我们目眩神迷，尤其是对所谓"茄鲞"制作过程的描写，显示出中国"食文化"登峰造极的造诣。就在写"茄鲞"的同一回（第四十一回），也写到了"刘姥姥觉得腹内一阵乱响……要了两张纸就解衣。众人……忙命一个婆子带了东北上去了……蹲了半日方完。"原来几疑是人间仙境的大观园，厕所也极简陋。第五十四回，还写到贾宝玉"便走过山石之后去站着撩衣"；第七十一回，写到鸳鸯在大观园里"偏生又要小解，因下了甬路，寻微草处……"。贵公子也好，有头脸的丫头也好，竟都有随地便溺的积习，这也反证出他们生活里没有方便良好的厕所。洗澡呢？贾宝玉所居的怡红院，金碧辉煌，奇彩闪烁，却并没有自来水和洗澡间，第二十四回有写贾宝玉洗澡的情节，水是秋纹、碧痕两个丫头共提一桶运来的，"预备下洗澡之物，待宝玉脱了衣服，二人便带上门出来"，第三十一回透露，有时贾宝玉洗完澡，"地下的水淹着床腿"，可见他们那富贵已极的家庭，主子洗澡也只是在卧室里进行。

在1972年美国总统尼克松访华后，北京把内城与外城间的古城墙拆得干干净净，盖起了一大排"板儿楼"，楼里的居住空间里虽然有了冲水式厕所，却挤挤巴巴，不但没有浴盆，甚至连洗脸池也没有。我记得，"文革"结束，邓小平复出后，曾去视察过那些居民楼，报上刊登出的报道里，我记得有这样的内容：小平同志问道，在哪儿洗澡呢？并且指出，今后再给老百姓盖楼，一定要让他们能有地方洗澡！这条报道给我留下了很深的印象。事情看起来很小，却说明小平同志为我们民族所设计的改革开放的蓝图，是以让老百姓过上好日子为矢的。上世纪80年代以后，随着经济的发展、观念的变化，在普通居民楼的设计建造中，卫生间逐渐成为了衡量一个单元居住品质的重要标志：是否有良好的坐式抽水马桶（蹲坑式的设计已被绝大多数人排拒）？是否有供洗澡的浴缸或淋浴设备？是否有位置得宜的洗手池？如卫生间无向外的窗，那么排气孔功能好不好？……到90年代，出现了把洗浴空间与排泄空间隔离开的设计，而且一个单元里不止一处卫生间的设计更逐渐成为一种时尚。公众共享空间里的厕所，也都有不同程度的改进，有的城镇改进的幅度还很大。我那位乡亲告诉我，他们那里在改革开放以后，人们起先盖新房子时，虽然起了楼，搞了装修，有很大的厨房，却还不懂得在新房子里搞卫生间；但现在人们盖房子时，对卫生间可重视了，原来没搞卫生间的，也都纷纷补设。当然，卫生间设备不是一桩简单的事，它必须有一个地区整体配套的排水、排污系统为后盾；乡亲所在的镇子，现在还只是大家各自或联合搞些化粪池来解决问题，这只能供一时所用。看来，还必须由有关部门作出总体规划，进行给排水和排污系统的基本建设，才能使大家真正安享既有"口腔享受"又有"肛门享受"的小康生活。

西方的文化传统里，"卫生间意识"出现得比较早，他们的许多城镇，很早就有考虑得很周到的、相当先进的排水、排污设施。比如说《悲惨世界》那样的古典作品里，我们可以看到发生在非常高大宽阔的地下泄水排污孔道里的情节。法国巴黎为什么能把老城区基本完好地保护下来？那些老宅子本来已有相当完善的给排水（包括排污）系统，加上电路和煤气管道，使之适应现代化生活方式困难较小。北京的胡同四合院为什么难以改造？就是因为地底下原来缺乏给排水（特别是排污）系统，而普遍地加上这个系统，比加电和加煤气管道要麻烦得多，这也是北京目前街道上特别是胡同里公共厕所的平均质量不仅低于国外许多大都会，甚至也低于国内若干城市的根本原因。但不管怎么说，我们民族的"卫生间意识"在改革开放二十年来，有了很大的提升，在各个风景名胜地，原来只是为了满足"老外"们的需求，才不断地改进着卫生设施，现在即使是为本国游客提供的旅游设施里，卫生间也越来越具水平，仅从这一隅景象的提升来看，也不禁要为改革开放后的新生活鼓掌叫好。

仲夏到一位工薪族朋友家里做客，他家刚装修完，那卫生间里，恭桶座垫圈上箍着鹅黄的天鹅绒套，氤氲着菊花般的芳香，令我倏地想起《红楼梦》里史湘云所写的题为《对菊》里的句子："清冷香中抱膝吟"——中国人的生活，连这种部位，也越来越富于诗意了啊！

室内望点

一座城有城市望点，比如北京的景山和电视塔就是望点。城里一个区域也可以有望点，而且望点也不一定非得是鸟瞰式的，平面上的通透视野也能构成很好的望点。比如北京什刹海银锭桥就是一个能遥见西山的望点。一个居民区也可以有自己的望点，目前许多商品楼楼盘在设计上就都比较注意庭院的通透感，比如说使中心庭院的凉亭成为一处望点。那么，一套居室，是否也可以有望点呢？

前些天到过一对青年白领新购置的居室，那单元在设计上难说尽善，有的缺点还比较突出，比如说"入门见厨"，需把厨房门设计成拉帘式并恰当美化，方能化解掉那一遗憾。但这单元有一个最大的优点，就是站在最西边的阳台，能够使视线通达到最东边的窗户，整个单元按面积算来并不大，但那西阳台构成的室内望点，使整套居室顿时通透感盎然，坐在那望点处的休闲椅上，品茗闲话，望向东面，半露半隐的绿色观叶植物，连续性很强的雅致甬路毯，使你的目光不是强直地而是柔和地延伸到十几米外的东窗，飘拂的纱帘外依稀可见蔚蓝的天光，真令人心旷神怡。年轻的伉俪告诉我，他们最终挑中这套单元，那室内望点起了决定性的作用。

室不在大，通透则雅。反之，则令人闷然。有位老先生住的居室，总面积很大，但空间切割上非常笨拙，算起来有四室两厅双卫，但无论在其哪一个室那一处厅里，都找不到视线可以舒畅延伸的望点，也许设计者是认为这样可以保证每一处空间的私密性吧，但作为居住者来说，私密的保证并不能以"入瓮进笼"的感觉为代价。还见到过更憋气的单元，进了门是一个厅，倒不算小，有二十多平方米吧，但每一面墙上全有门，这些门又全对着里面的墙，以至大白天进了大门就得先开灯才成，真不知道那设计者在图纸上是怎么画的那些分割线！

健康家居，不仅应有利于人的身体健康，更应该有利于人的心理健康。现在一般的户型设计大都考虑到了从室内朝外望时的心理感受，尽量使其不那么憋闷，但往往忽略了室内望点的设置，愿今后的居室户型设计，都能把室内的通透望点考虑进去。

瓜果装饰有奇趣

把一只硕大的无腰木质葫芦，上半部对称地剜掉两块，使其成为提篮形，然后往里面注入培养水，养几枝万年青或绿萝，往客厅茶几上一摆，在周遭由工业制品形成的摩登氛围中，顿时构成一个拙朴风韵的亮点。这是我家连续几年引得入访者惊喜的一个装饰细节。虽然前些时那葫芦篮终因水浸朽裂而报废，但我以瓜果装饰居室的兴趣依旧盎然。

我还常为亲友的居室如何以瓜果装饰，出些点子。以大果盘罗列鲜果，是最常见的做法，但弄不好徒成炫耀主人的啖果欲盛，构不成曼妙的装饰趣味。以鲜果为装饰，一种办法是以素净的盘钵适量盛放单一的果品，如用乳白的小瓷碟盛一些红樱桃，或用青花大瓷盘盛几个大佛手，再或用晶莹的玻璃钵盛若干连枝带叶的新荔，根据居室内的总体布局，以及比例上的考虑，或搁放在茶几一角，或摆设在钢琴上方，或妥置于大餐桌中央，或巧饰于窗台一侧，其视觉上的快感，是大大超过味觉上的联想的；另一种办法是多果杂陈，这时容器的选择非常要紧，若想突出其视觉上的愉悦效应，最好取用异形的大型器皿，就是说像瓷的陶的琉璃的水晶的玻璃的合成材料的器皿，不要正圆长方或各边对称的，而要多少有些个"奇形怪状"感的（却又不要太过分），往里面摆放果品时，过分堆砌不好，显示不出丰富多彩也不好，注意大小形状的搭配，以及色彩光泽的互映，比如使芒果与山竹为邻，在巨柚上斜挂下一串提子，让带叶山柿与长柄鳄梨正反相依，斜放蛇果正放桃……其实果品容器也不一定非用高级材料制成品，像质朴的藤器、草编浅筐、大块瓦片，都可取用，果品也不一定非得奇珍异果，像常见的木瓜、芭蕉、苹果、鸭梨、葡萄、海棠、山楂……都可以整合出很有品位的"果品装饰"。

材 质 之 美

一

这样的装饰品，一般来说倒不宜于置放在餐桌上，尤其不宜搁放在茶几上，有时直接将其摆放在一进门的玄关搁板上，或似乎是不经意地搁放在沙发一侧的地毯上，使其摆脱"吃"的联想，而引发出"如画如塑"的心理感应，会成为一次成功的装饰行为。

瓜类植物的果实，成熟后往往能保持较久的时间，是居室装饰的优秀材料。倘若你的起居室因家庭影院及合成材料家具及具有现代或后现代风格的戳灯等物品，显得过分地非自然时，往适当的地方摆放一只熟透的，金黄带蒂的大南瓜，则会产生极富意趣的装饰效果。美国每年深秋有"万圣节"（鬼节），那时几乎家家都会从院落平台到窗台以至室内各处摆放大小不一的南瓜，并将其剜出眼、鼻、嘴来，构成一种民俗；他们的这一民俗我们当然不必效仿，但那以取自大自然的瓜实调剂越来越工业化的社会景观的装饰趣味，倒也确实值得借鉴。我曾劝朋友在他那电脑旁摆放两只并蒂小葫芦，结果不仅取得很好的装饰效果，也使他在使用电脑的间隙里，从一瞥那葫芦中获得了一种虽属琐屑却很慰心的乐趣。像丝瓜、苦瓜以及浑身泛着绒毛的嫩冬瓜，也都可作为起居室中摆放一时的装饰品，一位亲戚将两根苦瓜斜放在客厅玻璃茶几的一块从东欧带回的工艺布垫上，又在其书房的画案上，不垫东西地放置了一只带绒毛的嫩冬瓜，竟惹得包括我在内的几位客人都啧啧称赞，可见嫩瓜熟瓜都可在居室装饰中一展风采。植物的果实是多种多样的。一位挚友引我到他卧室，把那斜置于其榻侧的一件"得意之作"指给我看，那是什么东西呢？原来是一只他从山乡买来的，未曾用过的，在当地很普通的粪箕，他在那置放于华贵的羊毛地毯上的粪箕里，撂满了从山乡摘来的，硕大而墨绿的松果，并在关闭室内其他照明器后，单用一只射灯，把那满箕松果照亮；为调剂装饰效果，他又往那松果上扔了两个用黄缎带结成的花朵；望去令人心中一动，确实别具韵味；他说那些松果入夜在强光照射下，会氤氲出阵阵特殊的气息，极具催眠作用……

　　瓜果有形有色，有姿有味，能传情，含幽默，虽不能经久，常换常摆，能给居室装饰营造出奇趣别韵，我们何乐而不为？

功利中的高雅

——读《贝聿铭传》

　　80年代初，我头一回进入北京香山饭店的大堂（即四季大厅），一下子被那宏阔而优雅的"公众共享空间"震慑了，特别是那钢架结构的透明玻璃穹顶，它把自然天光倾泄到大堂内，将里面栽植的芭蕉竹丛照耀得青翠鲜灵，使我初次领略到了"引自然入室"的建筑设计之曼妙；就在那一天，我听到了其设计者贝聿铭的大名，一位朋友郑重地对我说：中国血统而真正进入西方主流文化的人物，头一位便是贝聿铭。后来我有机会到美国，在绮色佳的康奈尔大学校园里，看到了贝聿铭设计的姜森美术馆；在华盛顿特区，进入他设计的国家艺术博物馆东厢仔细参观。再后来，我在法京巴黎看到了卢浮宫拿破仑广场上正紧张施工的玻璃金字塔，在香港看到了高耸入云的中国银行大厦。贝聿铭的这些世界顶尖级的作品，诱使我对建筑艺术产生出浓酽的兴趣，同时，也便渴望对他本人有更多的了解。但是，贝聿铭是一位"作而不述"的建筑设计大师，除了一些应邀而作的演讲，他很少系统地阐释自己的美学追求，他至今没出版过专书，也没发表自传，他似乎是只满足于人们到他设计的建筑物本身中去体味他的人生哲学与对建筑的功能性以及艺术性的不懈探索。于是，我便到处寻索他人关于贝聿铭的著作。这样的书现在多了起来。美国人迈克尔·坎内尔的《贝聿铭传——现代主义大师》[1] 1995 年在纽约出版，去年中译本在我国面世，这不仅是关于贝聿铭的最新著述，我以为，也是最适合于广大的一般读者阅读的好书。

这本传记采取了小说的笔法，读来特别有趣。说它是小说笔法，并不是说它掺进了虚构的成分，恰恰相反，著者取材严谨、言必有据。它用"倒插笔"，先写 80 年代后期，贝聿铭应法国总统密特朗邀请，为卢浮宫扩建作设计，他那在广场中设置悬拉钢索铺敷透明玻璃的金字塔的设计方案，引出了法国传媒和许多民众的激烈反对，事态几乎发展到游行示威和阻拦施工的严重程度。这就引出了一个悬念：贝聿铭依靠什么终于有志者事竟成？仅仅有密特朗的支持那是不够的。著者由此将贝聿铭那超常的教养、学养所凝成的个人魅力加以了初步展示，他总是那么风度翩翩，脸上现着尊严与友善的微笑，从容不迫，临事不乱，他能以最优雅的方式，简捷得当地将他的主张加以宣谕阐释，辅之以用事实证明，终于征服了反对者，不仅化干戈为玉帛，而且到头来赢得赞美与称誉。当卢浮宫广场的金字塔落成，在喷泉、焰火的映衬下，被聚光灯照得玲珑剔透时，在场的巴黎人几乎是一片欢呼声，一些原来的反对者，竟成了激赏者。著者在写完这一幕后，才将贝聿铭的身世业绩一一娓娓道来，写到他顺遂辉煌的一面，也写到他"兵败波士顿"（因汉考克大厦的设计失误）及被批评的一面，引征丰富，细节生动。

坎内尔把贝聿铭定位于现代主义大师，以将他区别于 80 年代后勃兴于世的后现代一派。其实，贝聿铭虽然确实是师从并发展着以几何式造型、与抽象派艺术创作互相辉映的现代派建筑流派的，但他并不是一个恪守"艺术信仰"的设计师。1946 年贝聿铭从哈佛大学获得硕士学位后，没有多久就投到房地产大王泽肯铎夫麾下工

---

[1] 《贝聿铭传——现代主义大师》（美）迈克尔·坎内尔著倪卫红译中国文学出版社 1997 年 1 月第一版

作，房地产业主是以赢利的功利性为第一位的，虽然泽肯铎夫算得是个能给予贝聿铭充分展开艺术想象的开明业主，但贝聿铭也从此形成了一种将功利与高雅和谐起来的特殊才能。对于建筑设计的外行们来说，看这份"热闹"是有利于了解市场经济下的成功之路的。对于与建筑相关的专业人士来说，则可从中悟出设计者如何与出资者进行良性磨合的"门道"，特别是使西方文化传统的精华与东方文化传统的精华相融相谐——这正是贝聿铭一系列在功利中体现高雅（或者说在高雅中满足功利）的"门道"中最绝妙的一着。

生命的气根

电视台一位编导来电话，约请我在关于马国馨的专题节目里露面，我欣然同意。马国馨，中国工程院院士，建筑大师，北京建筑设计研究院总建筑师，代表作有北京国家奥林匹克体育中心等。电视编导称我是马国馨挚友、知音，其实算不上。我和马国馨在上世纪 50 年代末是高中同学，毕业后多年没有联系，直到近些年，因为我开始尝试建筑评论，才重新有了一点交往，但是我们都很忙，各自忙的领域区别远大于重叠，彼此对对方事业、生活深处的情况并不怎么了解，说是朋友都勉强。但是我非常愿意在一个关于他的专题片里发表点议论，那直接的动力，出自一位年轻朋友对我提出的一个问题。这位年轻朋友的问题是：你们那一代人，青春期正赶上一个文化氛围越来越趋于贫乏、僵硬的时期，这是不是大大限制了你们文化素养的积累？我觉得，趁着在马国馨的专题节目里露面，恰好可以给出一个明确的回答。

个体生命无法选择时代，赶上什么情况就是什么情况。但是，无论赶上什么情况，个体生命也还是能够发挥自己的主观能动性，去努力吮吸所在空间里哪怕是稀薄的营养，来充实自己的身心。

马国馨在高中时品学兼优，课堂内的优异成绩这里略过不谈，要讲的是他善于在课外活动里开阔眼界、丰富认知、提升素养。那时候尽管阶级斗争的弦越绷越紧，但也还有各种科技、文化类的展览存在。我和马国馨都是展览迷，星期天常出入于各种科技、文化展览场所，我们分别去看的时候多，上学时遇到会互相通气，聊一聊各自的见闻，也有约着一起去看的时候。印象最深刻的是一起去当时的苏联展览馆（现在叫北京展览馆）看齐白石作品回顾展，好像那之前白石大师刚刚去世，那次展出的作品非常丰富，几个大厅里展品琳琅满目令人目不暇接，原来我们以为白石大师作画的题材无非花鸟虫鱼和静物玩具，结果看到了许多大幅的山水、人物作品，风格统一而又变化无穷，我们两个少年在那些作品前心灵受到深深震撼，看到半当中不知不觉地手拉手慢移步，仿佛以那方式默默传达各自的感悟。看话剧，看电影也是我们共同的爱好。马国馨似乎更喜欢看电影。那时候的电影资源当然比现在匮乏，也还没有录像带和光盘，主要是些国产电影和译制出来的苏联电影。马国馨和我都最爱看苏联根据文学名著改编摄制的文艺片，像根据莎士比亚戏剧改编的《奥赛罗》、《第十二夜》，根据普希金小说改编的《上尉的女儿》，根据杰克·伦敦小说改编的《墨西哥人》等等。记得马国馨曾搞到印制得很精美的"苏联电影周"的彩印宣传材料，他拿给我看，并不送给我，但跟我津津有味地议论那些电影的艺术特色，让我心里的嫉妒化为了欣悦。当时我们还常去离学校不远的中苏友协北京分会的礼堂去看苏联原版电影，像《第四十一》、《雁南飞》都是在那里看的，没看懂的地方，两人讨论争辩，也是一大乐事。那时外文书店里能买到苏联电影杂志，马国馨和我经常去买，虽然我们外语课上学到的俄语完全不够用，我们抱着开卷有益的态度一阵翻阅，也果然受到些熏陶。几个月前马国馨跟我通电话，说访问了俄罗斯，去了莫斯科一处公墓，在那里看到了许多名人墓碑，其中有罗姆的，言语间很兴奋，现在一般人哪里知道罗姆，这是一位苏联电影导演，其作品《列宁在1918》一度在中国妇孺皆知，但我们都更欣赏他的《但丁街凶杀案》（又译为《第六纵队》）。马国馨父母当时都在济南，他寒暑假都要回家，假期里我们通信，记得我给他寄去过自己写的带自绘插图的小说，他春节前给我寄过自制的贺年卡，像小人书似的，用彩色玻璃丝扎住一角，里面有漫画和打趣我的语句，让我又生气又高兴。高中时我体育方面很差劲，马国馨却很注意体育锻炼，是个全面发展的学生。

我介绍出这些情况，不仅是为了回答上面那位青年朋友的问题，也是为了告诉现在所有的年轻人，一定要在青春期里尽可能地吸收文化营养。你看巨大的榕树，盆栽的龟背竹，以及许多别的植物，它们除了以入土的根须（这好比课堂里的主课）吸收营养，还生有若干气根，努力地从空气里（这好比课外广阔的空间）捕捉吮吸对自己有益的成分，以丰富、提升自己的素质、品格。正是因为有越来越茁壮的生命气根，素质上有坚实的童子功，马国馨才能取得今天这样的成绩，在专业领域里攀到了高峰。你看他的代表作国家奥林匹克体育中心，专业方面的优势且不去说，那体育馆造型上既有西方现代派艺术的韵味，更有齐白石绘画的大写意情趣，整个建筑区域的造型，从空中鸟瞰是一种效果，在地平上绕看又别是一番景象，而半月形水池的配置，以及周遭园林布局的设计，都可谓步移景换，富有戏剧性，能让有的人产生出电影蒙太奇的感觉。若是没有中学时代开始自觉吮吸消化形成的那些素养积累，他后来恐怕是出不来这般精彩设计的。

其实，我和马国馨这一代还是基本幸运的。比我小一代的，赶上过文化的大断裂大荒诞大荒芜，但发挥自己的主观能动性，以生命的气根尽可能地滋养自己，从而在一定程度上战胜文化灾难，使自己在改革开放后很快能释放出聪明才智，脱颖而出的例子，也并不鲜见。我就知道一位，他在那荒谬的岁月里并不随波逐流，从被焚埋未尽的"四旧书"的坑穴里，扒出来几百本残书，藏起来偷偷苦读，结果受益匪浅，现在成了一位学识渊博品位很高的出版家。还知道另一位，他在插队时身边无书无师，但每到休息日，他都不辞翻越三座高岭的辛苦，去找腹有经纶的谈伴，给自己头脑增知、为心灵"充电"，现在他是一位著名的社会学家。

现在也有些人抱怨，说如今倒是书多了信息大爆炸了，加上网络厉害文化过剩，弄得反倒很容易上"泡沫文化"的当，他们总希望能身处"恰到好处"的文化环境里，俯拾方便，唾手受益。期盼文化环境日益优化固然有理，社会生活的走向也确实如此，但个体生命不能等待一切都优化后再营养、提升自己，正确的态度应该如马国馨那样，不仅强化自己的入土根须，还能自觉生长、延伸自己的生命气根，在有局限性的成长空间里，捕捉、筛汰、吮吸、消化有益的成分，厚积薄发，潇洒创新，结出艳丽的事业硕果。

漫话水泥

那天偶然看几眼电视上的古装剧，大概是在某新建的古典式园林里拍的外景，一看就觉得假，那些桥栏廊栅分明是水泥制造的，剧里的男女主角跑到一个小丘上的攒尖顶的亭子里去卿卿我我，那亭子也让我看出来全用水泥构件建造，不禁更啧啧叹假。

我当然懂得，现在不少仿古建筑大量采用钢筋水泥材料，是为了节约木材。以木料为建筑物的主体结构，这种建材选择到上世纪 70 年代仍是中国造屋时的主流，尤其是在农村。但是，由于过度地砍伐，我们的木材资源很快就呈现出负增长的局面，不得不慎用木材。中国的传统建筑以木材为框架以砖为墙以瓦覆顶，砖瓦要耗费大量农土，也渐渐成为需要另寻新材替代的东西。在这种情况下，水泥，或者说混凝土，当然就成为大普及的惯见建材。

水泥这东西，据说原是意大利火山积淀的白熘灰，与石灰和水混合，而形成的一种建材，罗马万神庙建造时就使用上了。真正接近现代工艺的水泥是在 18 世纪出现的，英国埃迪斯通灯塔即用这种水泥建成。到 19 世纪，英国人威尔金森和法国人埃纳比克先后获得专利，准确地说，是将水泥改进后与钢筋结合形成混凝土构件的专利，那以后西方的混凝土结构建筑雨后春笋般耸起。

水泥，或者说混凝土，是西方工业革命的象征物之一，也是西方城市建筑的最基本材料，俄国"十月革命"后，苏维埃政权为了发展经济，水泥的生产成为非常重要的一环，当时一位著名作家革拉特珂夫，把新政权下工人们为生产水泥付出艰辛劳动的故事写成了长篇小说，鲁迅先生迅速地将其推介给中国读者，这部小说当时被译为《士敏土》，"士敏土"就是水泥的音译（又有译为"水门汀"的），由此可见水泥也成为了新生活的一种象征。到我们国家进入了改革、开放阶段以后，水泥用量大增，城市里的新建筑不用说了，这种建材在农村的推广也很迅猛，许多先富起来的农村所盖起的民居，造型上西化，用料上也是混凝土、塑钢和玻璃成了主角。水泥似乎也就成为了"现代化"的一种无可争议的象征。

水泥虽然有许多的优点，但从审美角度上来说，却又常不被人待见，只有趣味前卫的业主才会允许建筑物裸露出水泥本色，也只有最大胆的设计师才敢于拿出不使用石材或玻璃幕墙等覆盖物的，"素面朝天"的水泥立面的建筑设计方案。现在一般商品房时兴卖"毛坯房"，水泥面被称为"毛坯"，业主购房后，总要花不菲的代价把整个房屋的水泥裸面完全掩饰。我家曾有好几年地上不铺地板地砖地毯，就直接使用水泥地面，竟被某些人讥为"抠门儿"或理解为"怪癖"。

但最大的麻烦是：水泥对于我们中国传统建筑而言，是个十足的"外来户"（所以俗称"洋灰"），并且很难从审美上融化进我们的传统式建筑中。冷静地想一想，我们为什么那么喜欢北京的胡同四合院，以及山西或黄山脚下、周庄、丽江等处的那些传统建筑群落？其实关键的一点，就是"无水泥"。当然有的这类地方也出现了一些水泥的踪迹，作为修补材料已有玷污感，倘若是用之建造出些"旅游设施"，虽然外形上尽可能地想与周遭传统建筑协调，却多半是因为非传统建材露出的"马脚"，仍令人感到在与古朴的传统相龃龉，相扞格。

我建议，倘若找不到木材与砖瓦，就不要贸然用水泥去"仿古"，水泥的秉性决定了它很难产生真正木料与土瓦等传统建材的质感韵味。

那么，难道就不能让水泥起到一种中西合璧的良性作用么？我认为是能够的，只是我觉得我们的新建筑要么在用水泥建造纯属西方风格的东西，要么在用水泥凑合着仿古，而很少从合理使用建材的角度上，去探索让水泥在中西合璧中发挥优势的路数。其实，从上世纪以来，像南京中山陵及国民政府建筑群，北京协和医院老楼，中央民族学院（现在叫民族大学）首建的楼群，以及北京1959年建起的"十大建筑"，都留下了很多这方面的经验与值得进一步讨论的问题，我们应该在新的实践中进一步让水泥成为我们的真爱。

漫话玻璃

荣国府的贾母什么好东西没见识过，但对南海将军邬家送给她的寿礼——一架玻璃屏风，仍很看重，嘱咐凤姐儿要特别给她留下。《红楼梦》里这类体现玻璃贵重的描写颇多，林黛玉初进荣国府，就看见正房里把一个玻璃大碗和一个青铜祭器郑重地作为宝物对称陈列，当然我们更不会忘记怡红院里的那架带机关充当门扇的大玻璃镜⋯⋯

读了《红楼梦》，就知道玻璃这东西在清朝盛期已经进入了皇家贵族的生活。到清末民初，玻璃开始普及一般市民家庭。

玻璃与水泥一样，对于我们来说也是一种外面传来的物品。据说埃及人大约在公元前 1500 年已经能熔制玻璃，后来传入西亚两河流域，在罗马帝国阶段已相当流行，大体而言，沿着陆上与海上的丝绸之路，中国的丝绸瓷器与西方的钟表玻璃相互传流。但玻璃与水泥又很不一样。我在《漫话水泥》一文里指出，作为建筑材料的水泥，与中国传统建筑在风格上很难达到和谐，但玻璃这东西不管是作为建筑中的门窗配件，还是作为室内外的装饰品，以及作为实用器皿，都很容易跟中国的传统建筑与中国人的传统生活方式相融合。

当然，玻璃是一个宽泛的概念。清代以前的玻璃，多指以石英为主体的矿物熔制而成的透明物，现代玻璃则多属硅酸盐化工制品，而种类又极繁多，还有由透明的有机高分子制成的有机玻璃，等等。玻璃在我们眼下生活中几乎无处不在，比如光学玻璃就是非常重要的一个族群，甚至与我们时有肌肤之亲。这里暂且只讨论一下作为建筑材料的玻璃。

玻璃在建筑中最初是专司令门窗透光的任务。在欧洲游览，少不了进教堂参观，每当走进有着高穹顶的教堂内庭，耳边是管风琴如诉如泣的轰鸣，日光透过大扇的彩色镶嵌玻璃窗斜射进来，使自己沐浴在神秘的光影中，那时就会铭心刻骨地意识到，自己本土的传统文化与那西方基督教文化，实在差异太大！尽管我并不会皈依那西方教堂所体现的宗教，但我却不得不承认那建筑，特别是那硕大的玫瑰花形或长尖拱形的彩色玻璃窗，给予了我极大的审美愉悦。

玻璃门窗使传统屋宇的采光方式大大改进，并且也增进了保温作用，而玻璃镶嵌方式的变化，以及彩色玻璃的使用，又使建筑物增加了新的装饰功能。

中国传统建筑在基本结构不变的情况下，将门窗玻璃化，一般都不令人觉得别扭。我对一些古典传统建筑在翻修中滥用水泥，常觉痛心疾首。但对许多古典园林的房屋亭榭在不改动原有门窗样式的前提下，安装上玻璃，却总是心平气和。

但从上世纪起，随着玻璃工艺的不断提升，它在建筑中逐渐从配角演变成主角，它们不再满足于充当门窗的配件，而是大摇大摆地去取代建筑的主体结构。这风气在中国实行改革开放后，也便劲扫神州，最突出的，就是到处耸起玻璃幕墙的楼房。由疼爱，到溺爱，发展到滥爱，玻璃就像是人类没教育好的顽劣子弟，开始到处惹麻烦。

目前最大的麻烦就是城市的玻璃光污染。响晴日，阳光射到高楼的玻璃幕墙上，那墙面成了巨大的反光镜，照得马路和人行道上的司机行人睁不开眼，有的玻璃幕墙使用的材料平整度很差，反映出的图像已令人不快，更衍射出混乱的光影，从生理到心理上都让人难以承受。这已经成为许多地方的一种"公害"。

一些新建筑的设计，似乎也跟某些时装一样，越来越喜欢"暴露"，露颈、露脐、露腿还觉不过瘾，总想以"走光"取胜。玻璃盒子般的房屋，成为一种时髦，露腔露肚，也许确有一种特殊的魅惑之美，偶一为之，聊备一格，未为不可，但到处腆胸凸肚，恐怕就不是什么创新之举、美的景观了。

即使作为门窗，现在有的公众共享空间，如商厦、餐厅、剧场，设计出大面积的玻璃门墙，通透倒真通透，连为一体也确实壮观，而且往往擦拭得也非常干净，似有若无，但也就因此常常出现顾客没有看出玻璃的存在，而贸然前行，被撞得头破血流的事。

希望我们的建筑设计师们，能把玻璃这种素质特异的建筑材料运用得更好，具体的建议就是：停止对玻璃的滥用，提倡实用、巧用、妙用。

漫话天花板

吊顶方式十几年前已成滥觞，目前在家庭装修中逐渐被视为华而不实之举，城市"布波族"更对之不屑，北京的若干白领人士，大概是受宜家家居用品简捷爽净的风格影响，对居室天花板完全放弃了装饰，不仅绝不吊顶，连石膏装饰线都不弄，甚至全顶无灯具，室内照明，使用落地式仰射灯和区域性台灯，白天和晚上，天花板都白净无瑕，真个是"素面朝地"，怎一个"雅"字了得。

中国古典式建筑，像庑殿顶、攒尖顶、歇山顶那种巍峨的殿堂里面，最讲究的，顶部有结构复杂的藻井，仿佛是一口倒悬的，充满藻饰的圆形或多边形的井，有的还会从那井心里，悬下一个巨大的镀银宝珠，富有神秘色彩。如果没有藻井，是平整的顶棚，则一般会分割为若干正方形的均等框架，所谓天花板，就是铺敷在那框架上面的木板，讲究的，都有彩绘花样，简单些的，则是单色，一般又以赭红深灰等颜色居多。记得二十几年前，北京什刹海附近一处古建筑翻修，我跑去观看，那正房里的天花板正被一块块卸下，结果，竟有意外发现——那里面藏有一些古怪的东西，后来经文物专家辨认，是上世纪初民间演出"什不闲"的器物，其中一件是连缀在一副架子上的九面小锣，给我留下很深的印象。

中国古典建筑的天花板，它与坡形屋顶之间，有一个相当大的黑空间，可以说是一个大气囊，对阳光的灼烤与寒风的肆虐，起到隔绝的作用，而且大一点的屋顶下的这个空间，还能起到储物的作用。当然，低档的房屋，比如北京胡同杂院里的小平房，屋顶下房梁间甚至只是一些秫秸杆，糊上白纸，新的时候望去还算顺眼，倘若旧了，雨渍蛛网，漏灰泻尘，破相倒是小事，入夜鼠奔蛇行，那声响可够吓人的。后来木质天花板讲究些的人家还用，但已经不再是可以轻易拆卸的整体结构的了，一般则都改成了水泥喷浆的新式天花板。

上世纪后半叶至今，城市里楼房越盖越多，现在的居民楼里，除了顶层居民，这家的天花板，其实就是另一家的地板底部，而自家脚下所踩踏的，也正是他家的天花板上部，一般都是夯笨的钢筋水泥预制板，想想也真好笑，这边会给它装上地板或地砖铺上地毯草垫以备踩踏，那边却又可能是搞个花池式吊顶，中心大吊灯配以周遭彩色射灯，二者之间不过是二十厘米左右的距离，所谓现代化都市生活，就是如此地吊诡。

现在一般人家的居室顶部，都已经不是"板"了，虽有装饰，也难称"天花"，但"天花板"这个称谓，还沿用至今。就居室这个六面体而言，天花板的功能性，目前似乎更突出地体现为"品位符码"。三十年前，北京青年人在穿衣服上有所谓"匪不匪，看裤腿；狂不狂，看米黄"的顺口溜，"匪"并不是说要当土匪，那个"匪"是"洋气"的意思，那时候紧裆裤瘦腿裤和喇叭口裤都够"匪"；"狂"则大略相当于现在的"酷"，那时候多数百姓还是一水蓝装，一些年轻人敢穿米黄色衣衫，属于超前一族，可歌可泣。国人的居室装修其实也是先由一些年轻人开风气之先的，十几年前就有"牛不牛，看灯头；发不发，看厅吧"一说，所谓"看灯头"，就是讲究在天花板上安装很大的花式吊灯，灯头越多越"牛气"；又特别时兴在厅里弄出一个西洋式的吧台，上面倒挂一溜高脚玻璃杯，下边搁几把高脚吧椅。但是几年前这股"牛发"之气就泄散得差不多了，因为新造的居民楼一般层高都在三米以下，天花板上安装庞大复杂下垂度高的花式吊灯一定会造成视觉比例上的失调，而且派生出许多使用上的烦恼；而那西洋式的酒吧台，利用率一般都奇低，一般中国人根本就不不习惯用高脚玻璃杯喝威士忌、白兰地之类的洋酒，喝得多的是中国白酒甚至黄酒，喝啤酒也没有坐到吧台椅上去喝的习惯，而一般起居室或餐厅的空间也并非那么宏阔，那酒吧台作为一种纯粹显示"牛发"的符码也未免太奢侈累赘，时过境迁之后，甚至觉得滑稽碍眼，因此，后来大都在二次装修时被拆除删弃了。

但天花板对于我们来说，无论如何还是重要的。无论是加以修饰还是任其洁白无物，都应该与室内其他部位的装修及家具用品相匹配，体现出居住者的个性，氤氲出其生活情趣与审美品位来。

漫话厨房

二十几年前头一回去美国，到了接待我的朋友家，进门就是厨房，让我颇为吃惊。细考究一番，发现那栋住宅的正门一般并不使用，平时出入，都是用引我进去的那个偏门，偏门靠近车库，停车后就能很方便地进去，进去就是厨房。那厨房是敞开式，也就是说，灶台与搁放东西的平台，以及平时吃饭用的餐桌，之间并没有墙壁隔开。其一楼的空间中，另有一正式的餐厅，摆放着更长大也更漂亮的餐桌，与很大的前厅相通，倘若是搞"派对"，那么就会启用正门和这个餐厅。但总体而言，我所描述的这几个相连的空间，大体都是豁然相通的，并不是一个个都以墙体隔开，非得通过门扇才能走到的。

最近几年，有机会去我们这边"先富起来"的人士住宅做客，也让我颇为吃惊，因为所住的那栋"号司"，简直就像从美国某州搬过来的，也是停车后带我进得一门，迈进去就是敞开式厨房，站在那厨房吧台边喝冰水——这也是美国式的做派，不搞"派对"时，接待普通来客，进了那个空间往往并不特别地请你坐下——我也就瞥见了那边正式餐厅的长餐桌上，摆放着插着鸢尾花的大花钵……

但是坐到与其他空间无墙体隔开的起居厅沙发上，跟他聊起来以后，我就渐渐发现了跟美国大不相同的"中国特色"，先是感觉到那豪华的布艺沙发，特别是扶手和靠枕，氤氲出一阵阵油烟的气息，接着就发现沙发边那精致的绸面台灯罩上，竟有些个凝结的油污。主人可能从我神色中发现了我的疑惑，就主动解释说：都是在厨房里炒菜惹的祸，虽然有强力抽油烟机，但日久天长，因为这些空间都与厨房无墙隔断，整个儿是敞开式结构，所以排不尽的油烟终究还是侵袭了这些地方；也曾发誓不在自家厨房里煎炒烹炸，但两口子都吃腻了外头餐馆，又都爱在厨房里"露一手"，搞"派对"也不愿意净弄些买来的冷切，夏天可以到院子里搞自助烧烤，冬天就忍不住要在屋里又炒又烤又涮了……

这就引出了一个话题：中西饮食习惯不同，烹饪习惯自然不同，那么，在我们处处模仿西方居住文化，盖出一栋栋一片片西化的住宅时，是否就应该在厨房设计上，避免照抄西方，而注意设计出适合我们中国人使用的空间？

其实不仅是厨房应该具有中国特色，在中国土地上建造的给中国人居住的房屋，不论是经济适用型还是豪华型，都应该"洋为中用"，以中国人的居住文化传统为本，但厨房问题，我以为最突出，值得专门来漫议一下。

我的法国朋友戴鹤白，他一连将我的五个作品翻译成法文了，他是非常好客的，因为是搞汉学的，交往的中国朋友自然不止我一个，他常到中国来，全家一起来，那时他在巴黎的住宅就空了，他非常热情地欢迎那个时间段去巴黎的中国朋友，住到他家，他说那屋子里的日常用品随便使用，当然也可以在他家那敞开式厨房做饭，这样去巴黎访问的中国朋友既免了住旅馆的费用，也大大节省在街上餐馆吃饭的开支，对于中国朋友来说，他这样慷慨，是非常难得的。但他对借住者唯一的要求是：绝对不要在他厨房的灶上炒菜。他和许许多多的西方人一样，尽管也喜欢品尝中国式的炒菜，但那只是去中国餐馆里享受，在自己家里，他们一般只用平底锅短时间煎一点半成品的肉排或鱼排，不但绝不采用中国式的尖底锅"武火""颠勺"炒菜，就是把一只锅放在灶上长时间地用"文火"炖菜熬汤，也从未有过。他说每次回到巴黎，即使借住者在那期间只偶尔地忍不住炒了一两次菜，他和夫人就都会一进屋子就敏感地判断出来，当然，也不会说什么，摇摇头，就花费不少精力去善后。在西方人当中，戴鹤白的这一讲究绝不个别，是他们普遍的"厨房守则"。中西方的家居烹饪文化差异就如此之大。

这就说明，敞开式厨房是纯粹的西方饮食、烹饪、居家文化的产物，并不适合一般中国人，根据中国人的饮食、烹饪、居家文化需求，厨房应该是用墙体与居所其他部分隔开的，在烹饪的时候，厨房与其他居所空间当中的门扇，也应该可以关闭。现在有的中国"小资"，买了新楼房，本来那厨房设计成封闭式的，可是他们为了"全盘西化"，追逐"时髦"，非要敲掉一部分墙壁，硬把厨房变成敞开式的，当然各人买下的空间，各人有在不违反有关规定的前提下，适当加以改造的自由，拆掉部分非承重墙也是可以的，但这些追求敞开式厨房的人士，又多半并非是发誓今后不在家里烧中国菜，连整个儿的饮食、烹饪方式也决心彻底西化的，那么，建议他们三思而后行，也未必是多此一举吧。

对于建筑设计师来说，如何在设计私人居所的厨房时，将西方式配置的优点（如除外面另有餐厅外，厨房内也有可以方便进食的区域），与中国传统饮食、烹饪习惯的需求巧妙地结合在一起，形成既"摩登"又"古典"的中国民众喜见乐用的厨房空间，实在是一个不该被忽略的课题。

漫话卫生间

如今中国新造的居所都有卫生间了，这是时代和社会的进步。一般的商品楼盘，一套单元设一个卫生间，高级一些的，则有"双卫"甚至更多的配置。这意味着不仅居住者不必与邻居合用厕所洗浴室，主客之间，以至家庭成员之间，也都可以起码在入厕方面分流，这样确实很"卫生"，社会越能细化个体生命的生理需求，为之提供"专供"空间与个性化配置，社会就越能避免疾病的交叉感染，也同时越能尊重与保护个人隐私，这不但是预防医学意义上的"卫生"，也是道德与伦理意义上的"卫生"。

如今新民居中的卫生间，都很西化。中国，东方，为人类文明提供了许多普适性的成果，现在西方人普遍采用，比如指南针、纸张、瓷器等等，西方也为人类提供了许多非常出色的发明，抽水马桶就是其中一项，现在我们中国包括整个东方乃至全球，都推行抽水马桶的使用，这并不意味着"媚西"，东西方的许多发明创造，都成为了人类的共享文明，进一步促进不管是哪一方发明创造的好东西为人类所共享，应是我们的努力方向。

但是，我发现，在近年建造起来的商品楼盘里，卫生间在设计配置上，存在的问题不少。如北京二环边上的某高档楼盘，开盘价位就达到每平米 15000 元，最大的单元阔达 300 平米左右，但所设计出的室内结构，却是每个单元都只有一个卫生间，虽然那卫生间面积都相当大，但若有客人来拜访，内急而不得不使用卫生间时，就只能去那唯一的卫生间，我以为，这就失去了其高档公寓的品质了。高档居所，主客在如厕时分流，不仅是生理卫生上的讲究，也包含着更深刻的社会学心理学方面的意蕴。一位花巨款购下此楼盘的业主，有回跟我说，他一位客人使用了那唯一的卫生间后，不经意地问他：你怎么看那样的小册子？原来他的几本摆在恭桶边的厕上消遣读物，被人家觑见了，又问了过来，弄得他心里很不舒服，那虽然不是什么不得了的隐私，究竟还是别让人无意间窥见的好。

那座高档商品楼盘里的卫生间，还有一点很奇怪，就是所有的户型，包括最大最豪华的户型里，卫生间都是暗卫而非明卫，明卫就是带窗户的卫生间，一般楼盘，特别是板式楼，又多是小户型，设计时画图纸，形成不了很多的明卫，多是暗卫，可以理解，但你售价那么高，又标榜是所谓"成功人士"的"荣耀空间"，却只顾把厅弄大，把阳台弄多，而对卫生间只注意到面积大和配置高档，不设计为明卫，这只能说是开发商和设计师，包括一些暴富后舍得花大价钱买它的人士，对卫生间品质的考虑，还处在比较低级的阶段。

过去有"中国人特别重视口腔享受，而又特别轻视肛门享受"的说法。国人一般都不爱听。但扪心自问，起码二十年前，我们这里还有不少那样的情况：餐馆厅堂装修得极为豪华，菜肴不消说更及其丰盛，但是却不设卫生间，食客要到餐馆外的公共厕所去方便；或者虽然设有卫生间，却非常简陋，不堪形容；就是直到今天，也还有些餐馆的卫生间十分地不讲究，甚至卫生间设施看上去挺不错了，难闻的气息却总在里面泛冒。

这里重点讨论的，还不是公共卫生间，而是居民住所的私人卫生间。一位在新居中招待我的人士，把他那装修得非常堂皇的卫生间指点给我看，特别是那个有射流按摩功能的新型浴盆，确实让人看了不免喟叹：中国的"先富者"或者说"小康族"，真是"酷似西方胜过西方"了。带我参观完了以后，他非要我发表点看法，我赞扬其高档，表示自己财力还达不到这样档次的享受，真是非常地羡慕，但也就顺便提出了一点看法：卫生间的功能性，主要是提供我们肛门和肌肤的享受，而不是徒然显示其华贵，您这恭桶为什么非追求"进口原装"呢？按说您这身量用这样的恭桶，一是显得略高，一是坐口不能完全闭合，这样，您花了很多钱，还并不能令肛门有最惬意的享受，岂非败笔？他当然很扫兴，我自知出言莽撞，也就立刻闭嘴。

但我在这篇文章里，还是不怕得罪人，要把我对当下一般居所卫生间的看法，说个透彻。我上面说了，西方的文明成果，对我们有利，实行"拿来主义"，这当然对，但我们毕竟是中国人，中国人有个古老的文明习惯，无论富人还是穷人，晚上都常打一盆热水烫脚，那烫脚水的温度，远比一般泡浴盆、洗淋浴要高，这可以活血舒筋，消除疲劳，达到自下而上的，全身心的舒解欢快，这是非常好的生活习惯，是应当坚持而绝不可废弃的，但是，西方人就多半没有烫脚的习惯，他们也许会每天淋浴泡澡，把头发身体洗得很干净，但他们对双脚没有特别的烫浴呵护，因此他们的卫生间里什么东西都有，却往往没有烫脚的脚盆，现在有的中国家庭将自己的卫生间全盘西化以后，也就没有洗脚盆了，而且在洗浴上，也省略了烫脚这一重要环节，我以为这是不应有的异化。我建议，中国建筑师为国人设计卫生间时，应该特意考虑烫脚的空间，而相关的卫生间用具设计者和生产商，应该设计生产出与新式卫生间配套的烫脚池来。

漫话过道

朋友佟君喜迁新居，邀我欢聚，我去后发现那新居室内使用面积与旧居相比并未扩大，而且格局雷同，我颇吃惊，问他："这地点也未见得比原来的好，你怎么这么高兴？"他长叹一声说："可算结束十几年的隧道生活啦！"

佟君的心思，我一下子明白了。原来他所住的那栋居民楼，外观还是蛮气派的，楼下绿地也颇美丽，楼内电梯质量也还可以，但是楼内的某些过道，设计上不知是怎么考虑的，真仿佛是幽深的隧道。他原来所住的那个单元，下电梯后，要朝右手去往一扇双扉玻璃门，推门进去后，则要往左进入一条约 10 米长的过道，他家处在过道最深处，大白天也得开灯，才能看清楚他家的门，有回我去拜访，恰遇上楼道灯的灯泡憋了，还没来得及换，摸黑认不准门铃揿钮，只好用拳头敲门，结果是他家对面那家猛地将门开启，一束亮光扑向我的眼睛，也看不真那门缝里的人脸，只听对方紧张地盘问："你找谁？！"

佟君原来所住的那栋楼，和上世纪七八十年代建起的许多居民楼一样，从性质上说，还不是房地产开发的商品，而是机关单位统一分配的宿舍楼，估计设计时画图纸，主要是考虑怎么把各类型的单元室内布局尽可能地好一些，至于过道楼梯什么的，简直就不动脑筋，反正过道能让你过来过去，楼梯能让你爬上爬下，最基本的功能到位，任务就完成了。那一时期盖起的楼房里，隧道式楼道，暗井式楼梯，竟成为家常便饭。我原来在北京东三环的一栋名称堂皇的高楼里上班，那栋楼里的过道缺点甚多不说，最离奇的是楼梯全在一个暗井里，白天也必须依靠灯光照明才能使用，虽然那楼安装了电梯，一般情况下人们不必登梯上下，但偶尔走在那楼梯井里，我总感到是在历险，许多同仁，特别是女士们，都害怕突然停电，有一回我和几个人正走在那楼梯里，突然停电，一片漆黑，尽管几秒种后楼梯拐弯处的应急照明灯亮了，但那几秒钟里的感受，特别是一位女士禁不住发出的一声惊叫，真可以跟看鬼片相比。现在那楼还在那么使用，我为自己不必再到那里面上班而庆幸。推己及人，佟君的"逃离隧道"，更可理解。

在平房居主要形式的时代，过道是比较容易处理的，无论是古今中外，好的平房总是不仅让它起到一个过来过去的简单功能作用，比如北京的四合院，在二道门即垂花门以内，会有与房屋匹配的游廊，简单点的是罩棚式的回廊，复杂点的有通向正房前卷棚的穿山游廊，这过道建筑不仅可以使院内不同居室的人来往方便，起到避雨雪的作用，而且还具有审美功能，游廊本身造型上具有通透秀丽的风格，廊檐彩绘更经得起反复鉴赏，人们坐在廊子栅板上可以赏花望月、谈笑遐思。中国南方的一些老式民居，以连续性的天井为中轴，阔檐下的石板道四通八达，也不仅是具有简单的功能，而能氤氲出一种杏花春雨或绿竹傲雪的诗意。

现在我们面临的是居住生活的迅疾城市化，许多农村也越来越多地盖起了楼房，城市里不仅楼房在以几何级数增加，而且有"森林化"倾向，北京虽然有限高规定，但随着环路的编码高度也就放宽，现在的趋势也就越来越"巨盆化"，这里暂不讨论大的城市规划上的问题，单挑出楼房内的过道设计处理问题来，讲一点个人看法。

我想，无论是写字楼还是居民楼，都绝不能把过道仅仅当成不得不有的"累赘"

来处理，不能仅仅考虑其最基本的那一点功能性。我建议，第一，过道的设计处理要更鲜明地体现出人性化。像我上面所举出的佟君的旧居楼，以及我曾在内上班的那栋写字楼，把过道楼梯弄成暗无天日的隧道深井，以至令人精神上感到压抑荒谬的做法，再也不要出现了！现在有的商品楼盘开始注意到过道的透光，并加以合理利用，比如在稍宽阔处留出可以放置老人暂憩和邻居间闲聊的座椅，设置小巧的陶吧等，都是好的尝试。第二，过道应该具有一定的审美功能，略以另样色彩或小的装饰部件，使过道从"生硬""阴冷"化为"柔和""温馨"，是必要的。因为一般业主会考虑到，过道作为均摊面积，越少越好，所以开发商请人设计时，尽量求得过道的最小最优值，是可以理解的，但建议业主们也要想通，过道是生活中看似不重要，而实际上却需反复利用的"人生途程"，花一些钱在优质的过道上，还是值得的；开发商则应在"最优"的标准里，融进一定的审美含量。第三，无论是南方的通透式楼房过道，还是北方的内含式过道，都应该努力探索出具有中国特色的设计方案来，祥和充裕是中国人居住文化最核心的因素，为中国人盖房子，在过道处理上也要特别注意到这个心理需求。

漫话阶梯

我的祖籍，如果说到底，应该是四川安岳县龙台场高石梯。我曾返乡抵达丘陵起伏的龙台场，却未能去往高石梯。那是一个非常偏僻的小村庄。它的名字，就意味着，它最大的特点，是有一段高高的梯坎。人类的第一个阶梯，应该是人类在自然中发挥生存能力的一个杰作。后来人类能够建造房屋，阶梯往往是其中不可或缺的部件。

最早的阶梯，追求的应该完全是连接两个以上的不同平面的功能性。但是，随着人类文明的发展，阶梯逐渐具有了心理属性，也就是说，人们建造阶梯，不仅是因为必须方便于从一个平面上升或下降到另一个平面，而且，也是为了利用阶梯，达到心理上一种满足。

比如北京紫禁城中轴线上的三大殿，本来，那地面是平的，可以平地起殿堂，但为了体现出天子的威严，就故意先平地起基座，再在五米高的基座上建造大殿，而分为几层的基座，再以阶梯连接，阶梯中段专供皇帝行走的部分，称御道，用最优质的汉白玉石，雕出祥云飞龙的图案。一位外国朋友对我说，他初次参观紫禁城的太和殿时，所体会到的，并非中国皇帝的得意心情，而是作为中国臣子的那一份诚惶诚恐。过去都称皇帝为"陛下"。"陛"是皇宫阶梯的专称。明明皇帝高高在上，臣民在他殿堂的阶梯下，还得匍匐着向他跪拜，似乎称他"陛上"才对，但皇帝至少在口吻上喜欢贬低自己，比如自称"寡人"。皇帝喜欢人们称他为"陛下"而拒绝"陛上"的谀词，这份虚伪很有意思。

中国古典建筑，不仅是皇宫，像祭坛、寺院、道观、王府等建筑群中的主体建筑，都一定要平地垒起高基座，建造有气派的阶梯，以体现出对神佛贵人的尊敬。现在仍存在的河南开封龙亭，是将这种心理需求达于极致的一个典型案例。这是一个清朝建筑。清朝时开封早已失去宋朝都城的威严。它必须向皇帝所在的北京表达出万分诚恳的臣服。于是有这样一个建筑出现。所谓龙亭并非龙王庙建筑。它是在平地拔起的十三米高台上盖出一个殿堂，里面供奉着称颂"真龙天子"即"皇帝万岁"的牌位，专用于在彼处由钦差大臣宣谕"圣旨"。殿堂即"龙亭"前面的台阶分三层共 72 级，而且故意建造得相当陡峭。无论是接近现场还是观看其照片，那夸张的阶梯造型都会给人强烈的视觉刺激，从而引发出心理反应。

近代社会通过变革逐渐使平等意识渗透到全社会。但建筑中的阶梯仍可起到主导人的心理意识的作用。由吕彦直设计的完成于 1929 年的南京中山陵，由陵下平地到达陵寝主体的坡地，落差为 73 米，设置了八个过度性平台，一共有 392 级台阶（当时中国人口为三亿九千二百万）。当谒陵者在头几个平台的阔台阶上往上行走时，他所望见的只是天宇，要随着一步步地攀登，踏过相当多的阶梯后，那顶部的蓝瓦祭堂才会慢慢地浮现眼前。这就是建筑师利用长距离、缓爬升的阶梯，来调整谒陵者的心理，使其能够"默默想音容"，将崇敬与缅怀的情绪达于浓酽。

1959 年建成的位于北京天安门广场西侧的人民大会堂，有意将其基座与紫禁城内的三大殿取齐，但阶梯的设计，则采取了广阔通透的方式，尤其是东门阶梯的设计，很有大国气派，可以容许成百上千的人同时拾级而上，确有"让人民当家做主"的韵味。莫斯科 1995 年为纪念卫国战争胜利五十周年建造的胜利广场，用若干大平台来达到提升主建筑的目的，其间的阶梯故意"不起眼"，这也是一种巧妙的手法，表达出一种苦尽甘来的欣慰与舒展。

城市公众共享空间的阶梯设置，一定要突破狭隘的功能需求，应该营造出奇趣妙境，使公众不仅获得实用的方便，更能消费心情，达到快乐。最成功的一个例子是意大利罗马的西班牙广场。说是广场，其实那空间最出彩的并非平面旷地，而是 1723 年由德·桑蒂斯和斯佩基设计的那一组面对"破船喷泉"的扇形阶梯，它不仅是"视觉冰激凌"，更可以当做舞台承载多种形式的表演。已经有太多的电影利用它作为背景去表现不同时代不同人物的命运，那一组台阶实际上已经是人们熟悉的具有生命的存在。

至于室内的阶梯，我们习惯叫做楼梯的建筑部件，虽然如今中高层建筑都普遍设置了垂直升降的电梯，它们仍是不可或缺的。北京王府井大街的华侨大厦，它的大堂南侧那一架弯转落地的宽大阶梯,十分堂皇,风姿高雅,是"以梯吟唱"的代表作。民居里的阶梯,现在花样很多,法式的旋转楼梯似乎相当流行,但照搬这种节约空间而且具有浪漫气息的楼梯时,一定要考虑到是在为什么样的居住者提供,倘若是为有老有小的家庭设计别墅,则这种沟通楼上楼下的梯子对于老小都具有安全隐患,需格外慎重。

阶梯并非简单事物,在当下生活中,除了其实用性,"阶趣"应该是设计者考虑的重点,特别是涉及公众共享空间时。

有人打伞在等你
——西直门交通枢纽印象

枢纽还处于初级阶段

原来我以为会来到美国纽约中央车站那样的地方,地铁和通向机场以及远方的火车、巴士全汇聚于斯,不用走出那庞大的建筑,就可以换乘任何一种交通工具到达任何目的地,当然,里面还会有若干配套服务措施,特别是供来往旅客吃、喝、休息的场所。记得我第一回进入纽约中央车站那阔大的圆形中庭,目睹匆匆穿梭的旅客如过江之鲫,"枢纽"于我不再是个抽象的概念,充满新奇,满心欢悦,特别是我亲自利用过它的便捷——乘火车去波士顿,后来又从绮色佳乘"灰狗"巴士回纽约——起点和终点都是曼哈顿闹市区,接我的朋友也就在那庞大建筑的地下停车场里，让我坐进车里，一条龙地送往住处，那"一路顺风"的感觉真是妙极了。

西直门交通枢纽的出现，是北京市政建设进步的体现。但是目前的这个枢纽，基本上还只是个地铁和高架城铁的交换站。离它咫尺的铁路北京北站，由于某些原因，还没有纳入到这个枢纽之中，而城市巴士某些线路的集散地虽然预留了空间，也还没有建设起来。这是一个还处于初级阶段的交通枢纽。事情总得一步步来。

这个枢纽和东直门那个规模更大的交通枢纽，主持设计的都是城建集团的设计院，项目负责人都是尹强。33 岁的尹强在我眼里还是个毛头小伙子，这个岁数的小伙子一般都火气大，我对他的采访很不规范，本不是记者，又很率性，提问有时相当地"无厘头"，比如当他翻动设计资料拿给我看时，我会忽然注意到他戴着一种很特别的手链，于是劈头便问："你为什么喜欢这奇怪的手链？"他竟不觉得我失礼，很耐心地给我解释：那是他前些时候去香格里拉观光时买到的，那是当地藏民自制的一种民间工艺品，所用的鼓形石料称"天珠"，上面那些特别的花纹是用祖传秘法形成的，现在看去绝不透明，但如果人坚持戴它，日长月久，最后它们一粒粒都能变得水晶般剔透！显然尹强会坚持戴它，过若干年，我若再采访他，那天珠手链会具有怎样的透明度？而他主持设计的新项目，又该比这两个交通枢纽精彩几成？

尹强不想吓人一跳

东直门交通枢纽目前还处在待施工阶段，虽然尹强他们的设计方案已经基本定型。他给我看了立面效果图，我的直觉是外观平庸，他笑了笑，暂不解释。但他带我去参观西直门交通枢纽已经启用的部分时，我粗粗一望，就指着他设计的那座控制中心讥评说："啊呀，竖起一个鞋盒子，太不跳眼！"他就慢声细语地跟我说起了他的设计理念：城市建筑不一定非要追求外观"跳眼"，这些年北京的不少大体量建筑一味追求"夺目"，过分在"艺术性"上下工夫，用很多费钱的装饰部件来刺激眼球，结果呢，所形成的强迫性审美，被市民所厌烦，甚至嗤笑，很难说为北京这个都会添了彩；其实好的城市建筑，特别是大型公共设施，平淡一点反而好，不去搞强迫性审美，不浪费资金去弄无功能的"艺术性"，注重在实际使用中，让人觉得舒服，人心里舒服了，才会拿眼睛细瞧建筑的细节，这些细节本不"跳眼"，跟功能性融合了，使用者或许会由衷地赞一声"好"，这是自愿审美，俗话说"平平淡淡才是真"，看似平淡的建筑，会以其"诚实""憨厚"的品质，获得真实的喝彩。

原来尹强搞设计，前提是不想吓人一跳。

我站在西直门交通枢纽东侧，细看这个建筑。确实，诚实、憨厚，像尹强本人一样，年轻，却又好脾气。它主要由两大部分组成。一是我形容为"竖起的鞋盒"的控制中心，一是南北向长达200米的三层换乘站台。控制中心不戴亭子顶，也不搞什么琉璃部件的装饰，不去肤浅地"维系古都传统风貌"，但它却让城铁轨道穿楼而过，乍看并不刺激，细观，则觉得那板楼与带廊顶的轨道，形成着"穿城墙而过"的意蕴，使本已荡然无存的西直门，在一种现代想象里恢复了精神。当然，这样的设计，需要高、精、尖的技术、工艺的支持。为了克服列车穿楼而过造成的震荡与噪音，在那通道里安装了从德国引进的最先进的减震隔音装置。三层的换乘站台，最上面一层是灰空间，那完全平直无坡的超长顶棚，给人一种"远行归来长吁气"的舒畅感，为了保证即使在暴雨发生时也能迅疾泄水，在顶棚上设计了功能完善的虹吸装置。

控制中心与换乘站的楼面，大量使用了穿孔铝合金板，这种材料铺敷的墙体，远观会以为是整体石材，给人以稳定坚固的感觉，使用者在里面，则会享受到非常好的透光、通风的效果。尹强选择的颜色，主要是灰褐色，他不想以夺目的亮色吓人一跳，他的追求，是以平淡的，几乎无色感的空间，来化解已经目睹了太多斑驳陆离的旅客们的眼疲劳，他为动态的人流选择了安静的颜色。

建筑的内在逻辑

深入参观后，我检讨自己那"竖立鞋盒"的讥评毋乃太鲁莽。其实那控制中心有若干很精彩的细部处理，那是任何简单立方体都不可能自然拥有的。里面根据不同功能切割成不同的空间，有个大通道贯穿其中，尹强让那通道终止在楼墙之外，呈现为一方通体透明的大落地窗面，望去那颜色虽然也还是安静而非喧闹的，却与整体墙面的灰褐色形成鲜明的对比。尹强解释说，他这是强调建筑内部的功能逻辑。还有一两处这样的外凸窗，也都是随功能之势而成型。这也是一种艺术性。

控制中心大量使用了钢化玻璃地板。这种透明地板似乎已成为一种时尚。我告诉尹强自己很怕踩在这样的地板上，总觉得缺乏安全感，比如北京有家书店的二层就铺的这种地板，虽然明知那建材是经过检验承重上没有问题，走在那上面还是惴惴不安。我问他为什么也来追这个时髦。他说那书店使用玻璃地板不知是依据怎样的内在逻辑，他将这控制中心设计成这样，是因为这里并非一个休闲场所，在里面活动的也应该不是老弱儿童，这里是容不得丝毫差错的工作场地，依据这个内在的逻辑，使用透明或半透明的地板，使各部门之间的工作人员在视觉上产生持续性关联，是必要的。

在控制中心朝向东边的相对窄长的墙面上，尹强设计出了一道自上而下，却又并不落地的纯装饰性部件，从二环路上望过去，仿佛是一件灰色唐装上的深蓝色纽袢的滚边。我说："你不是最反对搞'跳眼'、'夺目'吗？不是强调去除无功能性的纯装饰部件吗？怎么又弄出了这么一道'蓝标'？"他笑吟吟地说："这也是这组建筑的内在逻辑所决定的。这是个交通枢纽，行进在二环路上的车辆里的人士，在接近西直门地区时，总会想：它究竟在什么位置啊？这个深蓝色的'滚边'就仿佛在广而告之：我在这里哩。如果这里不是交通枢纽，这道'滚边'大可取消，但它的特殊性质决定了，它需要这样的一个逻辑，来联系二环那边的城市深处。"

好建筑必须注重细节

好的天际轮廓线固然重要，但更重要的，是建筑的细节。北京不乏那样的大体量建筑：有着雄奇的天际轮廓线，立面色彩鲜艳夺目，甚至在大结构上还有着明确的"主题"，但是走近观察，特别是进入内部使用时，就发现缺乏细节上的精心营造，显得粗疏、生硬。西直门交通枢纽的优点，恰恰体现在若干细节的设置上。

换乘站的最上方，也就是第三层那上部与外面通透的灰空间里，所有钢材立柱都设计成伞架型。这就是一个很精心的细节。这样的好处，首先是使所有支撑柱细化，望去不让人觉得沉重，遮蔽性化解到了最低程度。其次，伞似的龙骨使支撑顶棚的钢材能引发出花朵开放般的美感。更重要，也是尹强及其合作者刻意追求的，是"一排撑开的伞在迎接回家的旅客"，那样的富有诗意的喻意。三层的这个车站，是目前的 13 号城铁的终点站，当然，也是回驶的起点站。因为整个是灰空间，在站外望过去也能见到这一排壮观的"伞阵"。"伞阵"喷涂为米黄色，与总体的灰褐色既和谐，也明快。但愿那些匆匆过往于这个站台的旅客里，有越来越多的注意到这一细节的人士，他们想到这个终点站时，心灵里旋出这样的自我慰藉：有人打伞在等我啊……

第二层是一个转换空间，乘地铁的和乘高架铁的人士在这里可以分别找到换乘的出入口，这个空间里有一个装饰性细节值得一提，就是顶棚和当中两排大理石廊柱的处理，尹强设计出了从顶棚中心花瓣样缩减地延伸到柱体下部——并不接地——

的覆盖部件，采用薄体钢材，也是用米黄色与深灰色的柱体形成既和谐又明快的对比，这个装饰性部件弯曲的弧线，化解了柱体和顶棚原来可能产生的僵硬直角关系，也化解了柱体的沉重。而一组这种装饰性部件的中心，则是花蕊般的照明装置，其空隙间故意显露出墨黑的建筑结构内部乃至某些管线，路过的人偶尔望去，会觉得颇为谐谑。

裹住交通枢纽的商用楼与酒店

一处交通枢纽，不令其仅仅满足市民出行方便，在其空间中，还允许商业性开发，使寸土寸金的首都地面，尽量产生出更多的价值来，这是可以理解的，于是，我们现在所看到的西直门交通枢纽，其天际轮廓线所凸显的，其实已经不是尹强和他的同事们精心设计的那座控制中心和棚廊式的换乘站，它的西面已经完全被纯商业开发的建筑物包裹。

首先赫然跳入我们视野的，是雄踞在200米长的换乘站顶上的三座高楼，在我采访时它们还在紧张施工中，尹强说那虽然不是他们设计的，但也多次协调关系，以求相得益彰而不是相互龃龉。据说将来那三座写字楼全是玻璃幕墙的外表，顶部呈逐渐上缩的圆弧形。按说建在二环边上，城市规划限高应在70米内，可是那三栋写字楼我看怎么也得有90米。尹强说不少商住楼总是在修造时突破限高，他也不知道是怎么能运作成那样的，目前已是"罪不罚众"的局面，已经建成的大体量豪华建筑，你怎么让它削顶缩腰？

那凌驾于换乘站上方的三栋大写字楼，总算没有连成一道巍峨的屏障，据说之所以设计成断续地耸起，是为了让在二环上行驶的车辆里的人们，特别是二环以内的一般居民楼里凭窗西望的人们，还能从那缝隙里望见北京展览馆，也就是原苏联展览馆的那个顶端上有红五星的镏金尖塔。平心而论，三座孪生写字楼的造型大体上还顺眼，但其最下部，一直勾连到尹强他们设计的换乘站一层的百货商场，建成后的功能性究竟怎么样，却令人狐疑，因为那将是个完全没有通透处的死闷子空间。

最令人置疑的，是非要把本来有着独立品格的城铁控制中心大楼的西侧，也包裹上一栋纯商用建筑——一座酒店，而且，最奇怪的是，又不愿与尹强他们设计的那个控制中心大楼齐肩，非要高出一块，而又是平顶处理，显得很颟顸。尹强说他确实感到非常遗憾，也曾提出意见，但资本的运作自有其强悍性，现在这模样已成定局，也只好莫可奈何。

寄希望于新一代建筑师

尹强同我儿子一般大。说句"望子成龙终遂愿"，好脾气的尹强肯定不会见怪，读者诸君大概也不会嗔我孟浪。对老一辈建筑师，逝去的缅怀，健在的尊重，以及对崔恺等壮年建筑大师的倚重，并及时总结他们的经验，当然都应是我们常设的功课，但我现在还要特别强调对尹强这一辈新兴设计力量的重视，城建集团能把西直门、东直门这样两个重要的交通枢纽交给尹强负责设计，是值得赞许的。中国建筑设计的希望，正寄托在这新一代的身上。

跟尹强议论到库哈斯的中央电视台方案，我说我是反对者之一，当然我的声音只是一个业外的市民之声，我对他那外飘70米的处理尤其不能接受，技术、工艺上埋伏下的隐患且不论，那样的建筑风格与我中华民族的传统文化精髓是相忤逆的，用在中央电视台这样的项目上是绝不可取的。尹强就对我平心静气地说，他也不赞同库哈斯的这一方案，但他觉得库哈斯那不拘一格造房子的精神还是有可借鉴之处的，他前些时完成的城铁万柳机务段的设计方案，就汲取了库哈斯那驰骋想象力的优点，但他又很注意我们中国传统文化里"天人合一"等讲究，把那机务段设计成完全置于园林之下的不规则地显现状态，他把那设计沙盘拿给我看，我也不十分懂，但心里不住地祝福：年轻的建筑师，张开翅膀飞吧！

"大轮胎"与"大鸟巢"

2006 年的 6、7 月是"世界杯之夏"。我这人看球赛不但看比赛场面，也看观众席上的状态，还看运动场建筑。这叫做：散点透视，全面观察。

这回德国安排了十二个运动场用于比赛。首场的那个慕尼黑安联运动场是新造的，前年我去慕尼黑喝啤酒，远远看到工地，它还不成形，现在从荧屏上看到，它像个大轮胎。有人形容它像橡皮艇，确实也有点像。它那带有类似轮胎花纹的外壳，能以灯光显示出红、蓝、白三种色彩，如果它能呈黑色，那就更是个巨大无朋的橡胶轮胎了。

这安联运动场是如今世界最负盛名的瑞士建筑大师赫尔左格和德梅隆设计的。他们在中国知名度也很高，因为 2008 年北京奥运会主运动场就是他们设计的，那个"大鸟巢"现在已经初具雏形。

"大鸟巢"极尽建筑美学上的颠覆性浪漫想象。它和法国安得鲁设计的"水蒸蛋"（中国国家大剧院）和荷兰库哈斯设计的"大歪椅"（CCTV 新楼）一样，备受争议，但都已经接近于"既成事实"。这是他们个人设计风格的胜利？是全球一体化的象征？是世界大同的前奏曲？其实，应该说，那首先是当下中国欲望平均值的体现。

建筑是人类欲望的产物。经济快速升腾、民族自豪感高扬，使得城市规划和建筑上不但急着要跟世界接轨，而且，产生出要盖就盖最高、最大、最新、最奇、最怪、最让世人刮目相看、最能记载进吉尼斯纪录，当然也最昂贵的玩意儿来。这种民族综合性的欲望，有其合理的内核——谁说我们落后？谁说我们保守？谁说我们穷酸？谁说我们不懂后现代？谁说我们只会抄袭？谁说我们没财力没物力没能力没技术？谁说看最尖端的创意建筑只能到中国以外？来来来，现在我们要向全世界证明：最前卫的建筑在中国！——因此，不管反对的声音有多么响亮，到头来，"大鸟巢"一类的地标还是会印证一句"存在即合理"的哲言。

那么，德国人这几年的欲望综合是什么？怎么同样是赫尔左格他们的设计，慕尼黑安联运动场却完全没有"大鸟巢"那么"酷"，那么浪漫，那么出位？你看这个"大轮胎"，绝不像"大鸟巢"那么让你眼花缭乱，它对称、规整、敦实、稳定，把德国人民族性格里的理性、内敛、刚强乃至洁癖，都体现出来了。

其实，德国人在不同的历史时期，体现于建筑的群体欲望是不尽相同的。1972年慕尼黑奥运会建筑群，是在"冷战时期"的最冰点的国际环境下设计建造的，当时采用了德国自己的建筑设计师贝尼斯和奥托的方案，为了体现出西方从社会到科技到施工能力各个方面的优越性，大量采用了非规整的飞篷式顶棚，巨大的波浪式顶棚一时成为奇观。当然，后来这种玻璃钢弧线飞篷在建筑设计上成为滥觞，在改革、开放后的中国也一度处处开花，只不过波浪形篷子飞动的幅度都比较小，属于"小巫见大巫"。

两德统一之后，德国不必再"以西震东"，搞什么宣扬性的"前卫"名堂，体现在造运动场上，也就弃轻飘张扬风气，回归沉甸甸稳笃笃的路数。从传媒上的照片可以看出，2006年德国世界杯所使用的12座运动场，无论翻修的法兰克福森林运动场、改造的多特蒙德的威斯特法伦运动场、新设计的盖尔森基辛的奥夫沙尔克竞技场……全都是对称均衡稳定的礼盒式古典风格，特别是位于前东德管区的莱比锡中央体育场，这座新体育场就建造在原东德设计的具有苏联式风格的旧球场旁边，现在在设计上不但没有刻意用新奇的造型去对比旧球场的落伍，而是用桥梁式通道将二者联为一体，使之整体和谐统一，然后在功能性上下工夫。如果说这些体育场有新意，那大多体现在设计细节与新型建筑材料的使用上，比如安联运动场，它那"大轮胎"造型不足为奇，但是它那由许多菱形组合而成的"胎壁"，使用的是全新的科技成果，材料既轻盈光洁，又具有阻隔紫外线和透光度高的双重功能。

赫尔左格他们是"看人下菜碟"，他们拿到北京投标的是"大鸟巢"，拿到慕尼黑投标的是"大轮胎"。倘若他们将两个方案互换，那一定全被淘汰出局！

化图为实

大约两年前，看到过一个关于建筑设计的电视节目，有一个镜头至今难忘。那个电视片展现了"长城下的公社"别墅群的设计建造过程，其中有一栋是张永和设计的，他的设计图相当诡异，因此将图像化为实体，也就特别困难。那个让我难忘的镜头，是施工负责人在向张永和抱怨："你就知道出奇，你不知道我们把它做出来有多难！"张永和呢，一脸不接受的表情，站在那里只顾看工人干活。当时我忍俊不住。现在想起来还觉得实在有趣。画设计图的和将图像化为实体的两位领军人士，冤家路窄，短兵相接。施工负责人是隐忍多日，箭在弦上，不发不快；张永和呢，也深知自己纸上几许得意笔，施工者需克服万难方可呈现出。但施工方虽满口抱怨却尽心尽力化图为实，张永和呢，虽心存给人家添麻烦的歉意，却满脸"我还要继续创新"的盾牌式表情。说实在的，双方都很可爱。正是由于设计师的锐意创新和施工方的精确呈现，我们才能欣赏、享用到非同一般的好建筑。

张永和把自己的设计室命名为"非常建筑设计室"。其实不光他喜欢"非常"，现还有几个建筑师愿意"照常"呢？创新之风，横扫中华大地。

但是，"非常"的设计，如果没有非常杰出的施工力量，也就很难达到预期的效果，甚至会形成"画虎不成反类犬"的局面。

我们常能从电视里看到城市建筑的剪影和鸟瞰镜头，其实现在中国的许多城市的天际轮廓线和鸟瞰效果，往往已经非常西方化了，摩天楼，桁架杆，玻璃幕墙，花瓣形立交桥……但明眼人只要瞥一眼，就不难判断出那镜头里出现的高楼大厦是中国的还是西方某国的，区别在哪里？往往只是这里差一点精确度，那里差一点平整度，再差一点光洁度……简而言之，我们在设计上已经跟那边没有什么差距了，但化图为实的施工能力，显然还需大大提升才行。

北京新建的几个地标性建筑——2008 年奥林匹克运动会主赛场"大鸟巢"、天安门斜对面的国家大剧院"水蒸蛋"，设计上的争议撇开不论，就化图为实的效果而言，现在从外部初观，应该说还是相当不错的。这要感谢众多参与其事的工程技术人员和工人师傅，没有活鲁班，何来新宫殿？

但是，相对而言，我的感觉是，中国建筑师里能高扬创新精神搞出"非常"设计的，似乎颇多，而中国建筑施工队伍里能将诡异设计顺利精确地化图为实的，就似乎比较匮乏。

北京东二环外侧的保利大厦，大家应该比较熟悉，它底层的保利剧场是北京音效最好的演出场所之一，但这所大厦现在看来不够大，也比较陈旧，这家著名的公司在马路对面，也就是东二环内侧，顺理成章地新造了一栋大厦，体量大了许多，设计上也更有新意，它的正面设计为两层玻璃幕，外面一层是由几个具有倾斜度的多边形玻璃墙组合起来，最后在斜置的一个凸起的异型玻璃空间的内侧角汇合封闭。这里且不讨论如此怪诞的造型在美学上和实用功能上的功过，这里要说的是如此设计在化图为实上实在是极其困难，而现在凡是经过那里的人们都可以清楚地看到，在几个具有倾斜度的玻璃墙汇合处，由于斜置的几根金属桁架未能精密吻合，导致镶嵌在桁架杠上的大玻璃难以伏贴，因此，就使用了大块的透明胶膜将一部分桁架杆和两边的玻璃贴牢，看去非常之破相。我想那块"创可贴"形状的透明胶膜不可能是原设计图上的部件。另外，这栋正待竣工的大厦楼体的石材，看去价值不菲，但在其性能特点是否与北京环境相匹配上，选择时显然缺了点心眼，因此，楼未启用，而几场春雨已经使得楼体石材"锈迹斑斑"，也就是说，那样的石材在北京属于最不经脏的，其实无妨选用更实惠而又更能耐北京环境污染的其他色调的石材。

西方的建筑施工，也是在不断提升水平的过程里，才建造出比如悉尼歌剧院那样的"大贝壳"、西班牙毕尔巴鄂市古根海姆博物馆那样的"舞蹈的建筑"来。

最近看到由重庆大学和丹麦 COBE 建筑事务所联合设计的"魔幻山群"资料，这组确实具有魔幻意境的建筑群，如果真在重庆江北城拔地而起，将成为整个中国的新地标之一，当无疑义。这个设计已经获得了 2006 年威尼斯建筑双年展的金狮奖，理当祝贺。但我们一边看那些效果图一边想，以我们现在的施工力量和水平，能够把这样的图像精确地转化为大地上的现实吗？特别是那些不规则的仿佛刀削斧砍手揉指捏的楼顶造型，虽然还不能说是"舞蹈"，却也"浪漫"得相当地"惬意"，如无众多的鲁班巧手，何能仙境现于人间？

由此，我想向建筑界发出呼吁：要像重视设计创新一样地重视施工水平的提升，当务之急是抓紧培养一大批能够精确地化图为实的能工巧匠；教育部门也应该顿悟：与其培养出过剩的设计师，不如大批培养急需的高级建筑技工。

夜都会的光定位

从杭州驱车进入上海，有点"背后观美人"的味道。晚霞落尽，果然璀璨一座不夜城。那都会的夜光，望去有如美人发髻上插缀的七宝钿钗，移步摇动，光华夺目。过几日又乘游轮在黄浦江上畅望，是正面赏美人了，锦绣衣衫，芙蓉艳绝，浦西浦东，夜光争辉，说不尽那铅华金粉的魅惑，道不明那闪烁穿梭的玄机，怪不得不少初临申江的外方人士诧讶惊呼：改革、开放的中国竟已繁荣到了这般程度！

显而易见，浦江两岸各幢建筑的夜光，皆有灯光师精心设计，入夜方各炫其艳、自呈其彩。但是细揆之后，就总觉得，似乎还缺乏整体性的夜光规划。城市的规划部门，应承担起为城市夜光的总体定位的责任，并根据总体定位协调各主要建筑、路段空间的布光。

夜上海确实亮丽。但上海夜光的总定位是什么？

世界上不少城市，在夜光上是有其自己定位的。比如美国的拉斯维加斯，那是一座赤裸的销金窟，沙砾滩上跃起万丈红尘，如是夜间飞抵此城，未下飞机，从舷窗朝外一瞥，全城夜光立即令人目眩神昏，那是一种非自然、反日常的怪异光影，很少有人觉得那是仙境，因为并不缥缈，倒是把人性深处的物欲给彻底地外化了，它的夜光定位，就是俗艳、妖冶，桃红柳绿，溢金泛银，大量使用横向、竖向、斜向的滚动光，以及跳动闪烁的强光刺激，金字塔般的恺撒宫顶上，利剑般的探照灯光束摆动着直刺天宇。它这样给自己的夜光定位是对的。谁会去那个地方寻求雅致、安谧呢？即使是最规矩的游客，到彼一游，也为的是一睹赌城之光怪陆离。

美国其他城市，在夜光总体格调的定位上，与拉斯维加斯有所区别。纽约，特别是曼哈顿，又特别是时代广场部分，夜光似乎与拉斯维加斯趣味雷同，但总体而言，纽约的夜光定位还并不是俗艳、妖冶，而是密集稳定、大气磅礴。旧金山，特别是渔人码头一带，夜光则定位于小康之乐的甜腻、温馨。中部城市丹佛，市中心的夜光则又以通透、闲适为主调。

英国伦敦的夜光，至今对滚动光有严格的限制，香港虽然回归已经十年，在车辆行人一律靠左行和限制夜光滚动方面，大体还沿袭英制。限制滚动光的初衷是保护市民旅客的视觉不至因强刺激而疲劳生厌，也兼保证司机驾车少受干扰而有利于交通安全，现在有的人士或许会觉得这种意识与做法保守，但伦敦和香港却也因此在夜光上保持了自己的绅士风格，这一定位看来以后也难改变。

法国巴黎的夜光定位是秀美、浪漫。也几乎不使用滚动光，而是大量使用白光，来把那些古典风格的建筑和艾菲尔铁塔的本身面目优美地呈现，但在布光上却又绝不追求"四面光，亮堂堂"，这除了节能方面的考虑，也是深谙必须既有光亮又有阴影，才能凸现建筑物的立体感，留下浪漫想象的余地。

上海夜光应该更多地从西欧汲取营养。其实乘游艇观夜光，还是外滩那些新古典主义和折中主义风格的旧建筑群，以白光勾勒出的剪影看上去是最舒服的，既有历史的沧桑感，也具有返老还童的意蕴。不过，上海的新建筑无论从数量和体量、气势和花样上，都已经远远超过了外滩建筑群，上海已经形成了新的天际轮廓线，因此，对夜上海光效应的风格定位，应该考虑进更多的新因素。

浦东江畔的东方明珠电视塔，无疑已经是上海的重要地标，它的夜光布置，也最引人瞩目。现在是用了多色布光、光球闪烁、光梭滚动的手法。其中冷光较多，冷光与暖光的匹配有些突兀，我个人以为目前的这种光效应有点"迪斯尼乐园"的味道，似与上海的国门重镇地位并不相称。如何使东方明珠的夜光既庄重也活泼，相信上海会调整出最佳方案来。

随着明年奥运会的临近，北京的夜光总体设计，想必也有了成熟方案。

都市夜光的总体规划、设计、协调、配置，也不仅是北京、上海等地需要认真研究的课题。祝愿富起来的中国，不是去用夜光炫富，而是以夜光喻示一种新文明的生成！

建筑的表情

建筑摄影是一个专门的领域，我们常看到关于建筑的照片，要么属于新闻摄影，要么属于旅游摄影，要么属于艺术摄影，摄影者对建筑感兴趣，然而却缺乏专业眼光。

专门的建筑摄影，至今还存在着这样的争论：镜头里只容纳净建筑，还是把人也拍摄进去？一种极端的意见是，建筑摄影必须拍摄建筑本身，镜头里是净建筑，而不能容忍人的出现。乍听到这种观点，有的人会立即反驳：建筑是人建造出来供人使用的，"以人为本"嘛，拍摄建筑时把人放进去，不是恰好可以说明这建筑与人的亲和关系吗？只拍建筑本身，那出现的画面跟设计师的效果图有何不同？更何况，许多设计效果图，也特意要点缀上一些人的剪影呢。

但是，如果你看到并欣赏了主张拍摄净建筑的专业建筑摄影家的作品，看得多，品得细了以后，你就会渐渐懂得，他们的道理和实践，都令人肃然起敬。

我对建筑素有兴趣，每到一地，总要探访那些独特的建筑。1987 年我到美国加州圣迭戈访问，特别去观赏了路易斯·康设计的萨尔克生物研究所。参观的那天是休息日，研究所里几无人影。研究所的两排方形矮楼无甚稀奇，但两排矮楼之间宽阔的中庭却令人吃惊，没有一株树、一丛灌木、一片草坪、一盆花、一件装饰，只由中间一道规整的旱沟槽将中庭水泥地面分为两半，望过去，则是蔚蓝的海平面，深远处，是仿佛画笔一气划成的海平线。正是在那一刻，我第一次憬悟，原来建筑不是物体而是生命，我眼前的建筑，呈现出一种肃穆宁静的表情，使我不得不把自己浮躁的心绪收拾得平和通达，以使我与建筑达到心灵的默契。在那中庭，我让朋友给我拍照留念。回到北京，多年过去，检出那几张照片，只证明着我"到此一游"，却并不能体现出那建筑的魅力。这就是因为，照片非专业建筑摄影师所拍摄。

2008 年，清华大学出版社出版了韩国建筑大师承孝相的《建筑，思维的符号》一书，承孝相不仅是杰出的建筑设计师，也是建筑理论家和建筑摄影专家。他在这本书里所附的大量建筑照片，都显示出他的理念正是"正宗建筑摄影应拍摄净建筑"。在这本书里我见到了萨尔克生物研究所的"净像"，顿时心热眼亮，脑际忽然飘出李白的两句诗："相看两不厌，只有敬亭山。"一千多年前的李白就没有把敬亭山当做物，而是当做了与自己平等的生命存在，故而与敬亭山为友，你望我我望你，看见了山的表情，看到了山的内心。其实建筑也是如此，既已建成，犹如婴儿出了母腹，便是一个独立生命。我写此文时，正好大二学生小安来访，见我文章标题后，便道："啊，写建筑物表情呢！"我立即纠正他："注意我题目里故意没有'物'字！"倘若只把建筑看成物体，那就别来谈论建筑摄影了。建筑摄影所面对的，是一种特殊的生命，拍摄他们，认为应该只拍"净像"也罢，认为无妨拍入适当的人物也好，都应该拍出建筑的"活像"，特别是要表达出不同建筑的不同表情。

中国工程院院士、建筑大师马国馨，2009 年交天津大学出版社出版了他个人历年来考察中华周游列国拍摄的建筑摄影选集《寻写真趣》。马国馨早期参与设计的作品有北京建国门外的国际俱乐部、毛主席纪念堂，他最成功的设计作品是 1990 年亚运会启用的国家奥林匹克体育中心。马国馨的设计风格，我以为基本上属于折中主义，再进一步说，则是在中西合璧的过程里，以西点眼，以中融通。他的建筑摄影，也是折中的，这本《寻写真趣》第一辑叫做《人和建筑百图》，说明他跟承孝相的拍摄理念正好相反，他认为要拍摄出建筑的呼吸与心跳，恰恰需要从人与建筑互动的角度来处理镜头，人在镜头里不是点缀不是参照不是起图解的作用，人与建筑是灵动的共生关系。第二辑叫做《俯视大千百图》，全是他从地面高处或飞机上俯拍的建筑。他第一辑的第 20 图，是拍摄他自己设计的国家奥林匹克中心，就像父亲给儿子拍照一样，他轻易地捕捉到了那个建筑最灿烂的表情：帆形高立柱、斜拉索、凹型顶面……显示出"80 后"那"我们是迈进现代化的一代"的豪气，同时，如果你"相看两不厌"地推敲，则可以发现，这一角也正好显示出那建筑内在的中华气质——洋装穿在身，我心依然是中国心"——那凹型屋顶的前半部，饱含着中国古典建筑庑殿顶的意蕴。第一辑里还有一张施工中的"水立方"的照片（第 90 图），把那 ETEE（乙烯－四氟乙烯共聚物）的特殊表情——我是多么新颖、轻盈、通透啊！——体现得十分充分。他在第二辑里第 98 图是从 83 米高的西苑饭店顶上俯拍的晚清建筑畅观楼，这座欧洲巴洛克风格的建筑被处理成前有大片尚未泛绿的春树后有大片灰白色现代楼房的颇为尴尬的处境中，但却"瘦影自临春水照，卿需怜我我怜卿"，一派"资深美人"的表情。慈禧皇太后曾两次到畅观楼，领略"泰西风情"，这一特殊建筑的前史与今况，令我们浮想联翩。

优秀的建筑摄影家，不必一定是建筑师，就像优秀的游泳教练员甚至可以完全不会游泳一样。但是鉴于我们国家目前纯专业的建筑摄影还不发达，似乎还没有知名的建筑摄影家出现一样，因此，自称也不过还属于"业余"的马国馨，他的这本《寻写真趣》的建筑摄影专著的出现，是值得重视、应予推荐的。

上海世博会不久开幕。世博会首先是各国场馆的建筑大观园。现在绝大多数场馆已经建成亮灯，也常有照片出现在网络和平面传媒，但我还没有看到与新闻摄影、艺术摄影严格区别开来的建筑摄影——即把世博会各馆建筑的表情传达出来的，动人眼目触到心灵的杰出作品。不要说世界各国的民众，就是中国百姓，也不可能人人都到上海一睹世博会真景，因此，切盼主办方不仅能提供关于世博会场馆的新闻照片、艺术照片，更能出版一本由专业建筑摄影师拍摄的照片集，把各国各地区场馆那百媚千娇的表情风姿，淋漓尽致地展现给我们！

把它看惯

已是八十一岁高龄的二哥从成都打来电话，感叹从奥运会实况转播中看到的"鸟巢"是那般美丽，尤其是开、闭幕式空中鸟瞰镜头，在灯光焰火衬托下，几疑仙境降京城。他和许多外地百姓一样，到北京一睹"鸟巢"、"水立方"、"水蒸蛋"真景，已成平生大愿。

　　但是，"鸟巢"的设计方案从一开始，就遭到严重质疑，建设过程当中，对其看不惯的批评、讥讽之声此起彼伏。其中比较有分量的批评者是本土的中国工程院院士、建筑大师马国馨，他本人是体育场馆的设计专家，代表作是 1990 年启用的国家奥林匹克体育中心，他在 2007 年出版的《体育建筑论稿——从亚运到奥运》一书里批评"大鸟巢"方案，并且强调这种地标性建筑的形象有个知识产权问题，这就引出了相关想象："鸟巢"的知识产权当然属于其设计者赫尔左格和德梅隆，现在我们已经在北京奥运会的纪念币以及无数商品上使用了"鸟巢"形象，是其知识产权拥有者宣布无偿提供，还是我们今后将为此付出巨大代价？马国馨还在 2008 年出版的《学步存稿》一书中，收入《无题打油》一首："急功求绩欲拔尖，逐奇追新标志攀。文展博馆歪中扭，传媒巨厦斜加弯。枝外生枝钢巢贵，房中套房蛋壳宽。繁华应戒奢华物，辛苦血汗勿烧钱。"这里面批评到的北京新地标建筑起码有四种，但所配的彩色照片则是"鸟巢"，照片说明就是"枝外生枝"。

　　马院士看不惯"鸟巢"等建筑，当然更多的是从专业眼光出发，比如他认为支撑"鸟巢"的主体结构不需要那么多的"巢枝"，少花钱少用钢少迷眼也一样能达到功能效果，我们外行人就无从判断，一般来说，"外行看热闹"，这"热闹"主要就是视觉效果，唯有"枝外生枝枝插枝"，才能引出关于"鸟巢"乃至"凤巢"的审美想象，就算因为"枝枝相护"一定程度上影响到通风散热，"越看越顺眼"的心理也就大大地补偿了功能性上的缺憾。

　　专业人士往往会鄙夷俗众的"随大流"。一个大型的公众共享性地标建筑，开始，某些专业人士的批评，会引起大部分俗众的共鸣，专业人士着眼在专业上的考量，俗众则是因为一时难以接受锐意创新的强刺激，因此这种具有实验性甚至"冒险性"的建筑在中标与修建初期总难免经历一段"雅俗共鄙"的"因不惯而不容"的尴尬期。但是，随着工程的进展，建筑物外观的整体凸现，一部分俗众就会向既成景观"投降"，而这种对体现盛世气概的宏大叙事风格的认同，具有"传染性"，当越来越多的"先睹为快"者手握数码相机拥到那建筑物前见证"奇迹"时，原来"看不惯"的俗众也就开始"刮目相看"了。某些专业人士当然可以把他们的批评立场坚持下去，但他们应该对俗众"看惯了也就觉得好了"的建筑审美心理加以尊重和研究。

巴黎铁塔、卢浮宫广场玻璃金字塔，都经历过从"看不惯"到"看惯了挺好"的审视过程。但并不等于说任何庞大建筑都能够获得"终极认可"，同在巴黎，美式摩天楼蒙巴那斯大厦，建成近三十年，至今仍被众多巴黎俗众视为"城市败笔"。究其根由，就是铁塔、玻璃金字塔具有潜在的"环境融入素质"，而蒙巴那斯大厦却不具备此种潜质，除非搬到纽约曼哈顿，否则断难融入巴黎固有的传统之中。北京的"鸟巢"、"水立方"、"水蒸蛋"目前大体上都被中国一般民众看惯并越来越产生美感，就是因为它们也都具有融入北京原有城市大环境的某些潜质，比如"鸟巢"和近旁的"水立方"满足着中国传统文化中"天圆地方"以及"水生木、木栖凤"等吉祥意蕴的心理需求。

到目前为止，在一般俗众眼里，新的中央电视台大厦仍然属于"难以看惯"的怪物，据说它的两部分主体空中歪架接龙前，有市民认真地向有关部门投诉："施工部门竟然把楼造歪了，你们还不快管！"它现在被俗众揶揄为"大裤衩"，这当然不是一个"鸟巢"般的昵称。其实俗众的"口碑"在渐渐看惯的过程里，是会不断变化的，比如"水蒸蛋"就是从很难听的几种绰号里修正成的，体现出俗众终于将它纳入自己日常生活的一种亲切。不知央视新楼到头来是否会被大家看惯而生发出一个非鄙夷性甚至是宠爱性的代称来？

寻求折中最佳值

王军的《城记》(三联书店 2003 年 10 月第一版)好评如潮，我不拟过多重复那些我很同意，并且相信还会有人一唱三叹地加以发挥的那些感慨。这本书的写法作到了尽可能地客观、真实、详备，资料丰富，引证有据，兼有史的恢弘、传的细腻、专业的准确、文学的情致，虽然语言平实和婉，但读来令人荡气回肠。

如果当年采纳了梁思成、陈占祥的那个方案，现在的北京老城区该有多么美好啊！这是许多读者读了《城记》后的共同想法。从"如果"出发的想法可以畅情任性地张扬飞腾，我从网上看到一些这样的想法：立刻拆掉从王府井南口到东单的那超限高两倍，而且大悖北京旧城风貌的东方广场建筑群！立刻在整个旧城区，停止名曰改造实为造孽的，拆除胡同四合院"危房"去修建"经济适用楼"的行为！这些想法都饱含激情，由正义感、合理性所支撑，我乍看到时也热血沸腾，如果——又是如果——真能实行那该多让人痛快啊！可是，一座城市的规划，或者说总体设计，一旦拍板并进入到实施，而且随着时间的推移已然呈现出一定的规模性状态，那么，从总体上反对的一方，就很难加以阻止，趋势已定，狂澜非一般人所能力挽。冷静下来以后，我这样想：从言论角度，"如果"引领的观点、态度、感慨即使"说了白说"，也还可以说，"立刻拆除东方广场"的声音一定要允许其存在，而且，这声音如果长期保持着呐喊的威力，那么，现在的东方广场虽然在几十年里都拆不掉，却有可能遏止类似的东西近年再在北京市中心冒出来。我在自己今后涉及北京建设规划等一类文章里，也还会以"如果"为前提，发出一个市民的肺腑之声。

城市的发展是由多方面的人的欲望所决定的。城，这首先是一个政治问题。政治背后是经济利益。像北京这样的作为首都的超大规模城市，当跨国资本进入，它的发展其实也是一个全球性的问题。谁是城的最大业主？我们应该心知肚明。科技知识分子，这里主要指建筑、规划、工程技术方面的专家，从城的角度来说，其身份是业主的雇员；而注重传统、文物、民俗、审美的人文知识分子，从城的角度来说，其身份充其量也只是高级参谋。《城记》这本书的封面设计得非常之好，它的上方以色彩淡淡的照片告诉我们，谁在为城市规划或者说城市设计拍板。它的下方把拆残的西直门城门实照，与计算机数字模拟的城楼按"如果"的思路合成在了一起，意味深长。但我在这里想强调的是，还可以从《城记》里得到"如果"以外的启发。

五十多年前的"梁陈方案"，最大的魅力就是将北京旧城完整地作为一个大型文物、一个活的博物馆保存下来，但仔细想来，这一方案的前提，是将北京定为了首都，因此，从最深处来说，这方案其实也是一种折中的变通。后来陈占祥、华揽洪有所差异还引出龃龉的方案，尽管横遭批判，观其详，更是在业主要求与维护古城之间寻求更得体的折中。再后来一定程度上得到采纳的陈干的方案，折中的特点更为昭显。到改革开放以后，像业主托付吴良镛先生设计的旧城保护区菊儿胡同危改工程，可以说是一次得到联合国教科文组织褒奖的出色的折中实践。《城记》开篇即写到的由吴良镛先生主持的"大北京规划"，更是意识到不能从美好然而空想的"如果"出发，只能从既成事实出发，来尽可能地保住应该保住的、消除应该消除的、疏导应该疏导的、增添应该增添的，这当然更是运行中庸之道，来寻求折中的最佳值。

《红楼梦》里有个大观园，这是个以政治目的为前提的园林（省亲别墅），作为业主的贾府在经济预算上也是有前提的，这其间也包含拆旧挪用改新的限定，从书里描写上看，业主把政治前提经济预算告诉设计师山子野后，对他相当信任，放手让他去恣意发挥，很少横加干预，因此盖成后当头号业主贾政去验收时，既不断地出乎意料，到头来又非常满意。山子野的设计特点，就是寻求到了折中的最佳值。

比如业主要求他设计出一处稻香村，贾宝玉就刻薄地批评了这个景点的矫情，想必山子野心里也觉得"这又何必"，但雇员只能是尽量满足业主的要求，他就想方设法令那本非自然的景观，多少具有些真乡野的形态，比如用新稚树苗编就绿篱，留碣石以刻村名等等。

北京可以视为一个放大的大观园。不过如今"大观"已趋"大杂"。把"如果当时不让它杂多好"的话说过以后，我们还可以探讨一下如何在已经"大杂"的现实面前把它维护和建设得更好。从广义上说，北京的每一个市民都是这座城的业主，因此都至少有一票的发言权。不要放弃这一票。我的想法，目前更多的是在"如果"之外转悠。我且不提"拆除东方广场"，因为人家有狭义的业主，手续什么的都合法，有其受法律保护的利益在焉。但我建议大家都仔细看看《城记》13 页的《北京旧城二十五片历史文化保护区分布图》，相对于整个老城区，25 片实在还是太少了，我不提把所有老城区全保护起来一点不能动，实际上许多非保护区已经在大动特动，不是我这样的"广义上的业主"所能喊停的，人家是实际上的业主，是资本运作，是办妥手续的，这我明白，但我仍然觉得，集合起有共同想法的"广义上的业主"，呼吁增加保护区，比如东单北大街到东单南大街两侧的胡同院落，还有永定门到前门大街两侧现保护区往南的全部胡同网，都应该增加进去。另外，在非保护区的地方的新建筑，特别是大型的公共建筑，我们也还要加强发言的力度，现在国家大剧院主体工程已经完成，奥体场馆"大鸟巢"、"水立方"已经破土动工，这些凸显西方现代派、后现代派意趣的大体量建筑究竟合不合适盖在北京，讨论应该进行下去，我虽然在具体问题上还有不同看法，但我很欣赏《北京观察》杂志上郑光复的文章《建筑的"艺术"骗局——从库哈斯央视方案始》，现在库哈斯的这个设计虽然中标，但事态似乎还没有进行到不可更易的程度，我觉得"广义上的业主"们应该发出声音，吁请具体的业主改戏——库哈斯的这个设计方案不合中国国情，不合北京城情，而且在功能性上也是打着"艺术"的旗号拿中国的电视人来"玩命"——它的悬空部分据说最大跨出量是 70 米,相当于把两座 20 层的居民楼横悬在空中,并且还并不是两边都有支撑的桥状,即使应力在计算上精确、高技术实施上可行,远望、路过,特别是工作在其中的中国人的心理上,肯定会有一部分是觉得缺乏安全、安定的,与中国的传统文化是相悖的。退一万步说,倘若这是座外国银行建筑,倒也罢了,这可是中国中央电视台啊!就这个具体的建筑而言,我们要山子野,不要库哈斯!我这想法和做法,就是在寻求折中的最佳值。我们还可以在更多的现实个案里去寻求。

《城记》是一部悲情书,也是一部鼓劲书,它鼓励我们思索、发言,并且采取稳当合宜的行动,来行使我们作为城中一员的公民权利。

建筑评论——我的新乐趣

我在中国建筑工业出版社出版了《我眼中的建筑与环境》一书,前些时已经第四次印刷。近来常有人来问我:你的文字活动,是否越来越逾出了文学的范畴?是的。我很喜欢"越境漫游"。漫游到建筑与环境评论这个领域,既有偶然性,也有必然性。其中一个重要的因素是,作为一个城市居民,遇到很多与建筑和环境有关的迫切问题,期待着有人站出来为自己说话,可是,这样的话语却似乎相当匮乏,于是,产生出这样的想法:那么,干脆我自己站出来说吧!说多了,集中起来,便有了《我眼中的建筑与环境》这本书。

当然，建筑评论与文学有相通之处。文学是审美的产物，是诉诸心灵的。建筑也有很强的审美功能，而且，好的建筑，是把人的因素放在第一位，并能使人的心灵得到震撼或慰藉的。这是文学与建筑的最大的"通感"。另外，建筑和文学都重视形式。好的建筑评论，应该也是优美的散文随笔。

我从事建筑评论，有深层的缘由。我自 1950 年（八岁时）定居北京，近半个世纪，其中至少有一半以上时间，是居住在古老的胡同四合院或杂院里面，因此我与胡同四合院的关系很不一般，它们于我来说，不仅是一种装载生命的空间，可以说已成为与我血肉相连的亲属，在我眼里心中，它们也是一种生命存在。而且，这近半个世纪里，我目睹身受了北京城市改造的全过程，这种改造有时其实是一种破坏，如将大体完好的城墙城门拆毁殆尽；有时是一种亢奋，如玻璃幕墙高楼的春笋式拔地而起……当然，改革开放后，也有若干在理性思考与浪漫情怀相激荡中产生出来的好的建筑作品与环境配置。我大概是在上高中时就开始对北京的古典建筑有兴趣，那时我常以它们为对象，进行水彩写生。改革开放后，逐渐产生出写些有关建筑和环境的文章的想法。近二十年来，有机会走出国门，境外建筑与环境方面的种种事物与氛围，对我的刺激与感染，也是我"越界漫游"，搞些建筑与环境评论的推动力。当然，深层的缘由，概括起来，恐怕还得说是我内心有一种对自己生存空间的自觉审视、无形批判、不懈渴望。

我的长篇小说有"三楼工程"：《钟鼓楼》、《四牌楼》、《栖凤楼》，它们的题目都牵扯到建筑，这确实不是偶然的。三部长篇虽然主要是写人的命运，但也都饱蓄着我对北京这座古老的城市在走向现代化的过程中那悲欣交集的复杂情愫。《钟鼓楼》里有一节专门写四合院，是把四合院作为一个角色，也就是一个独特的生命实体来描写的。《四牌楼》里有一章（单独发表时叫《蓝夜叉》），专门写到我对隆福寺的，伴随着对童年荒唐往事忏悔的回忆，那确是我个体生命体验中的难以克化的怅惘"情结"。《栖凤楼》的故事背景围绕着一栋中西合璧的楼房来进行，那栋楼房的命运与人物的命运纠葛在一起。我在自己的建筑评论和关于城市美学的思考中，都浸润着与我生命体验相关的，有时是很个人化的情感因素，我想这是我的评论和建筑界的专业评论的最明显的不同之处。

常有人问我：在北京的新建筑里，你最喜欢的是哪一栋或哪一组？到了我这个年龄，"最"字当头的思维判断基本上消失了。最喜欢哪个作家？哪部作品？最厌恶什么？最恨什么？一"最"字当头，我就觉得无法回答。因为，在人生中接触过，被感染或被刺激的事物，太多了，难以用唯一的单数来凸现自己的判断。当然，这也不是说，陷入了相对主义，失却了做出明确判断的能力或勇气。我愿意陈述以"比较"打头的判断：比较喜欢什么？比较不喜欢什么？在长安街上，我比较欣赏的建筑，可以举出两个，一个是建于上世纪 50 年代末的民族文化宫，我以为它是摆脱了苏式建筑影响后，把时代气派和民族特色结合得接近完美的一座建筑；另一个是建国门外的长富宫饭店，前些时我还到古观象台上对它细细品味，觉得它的体量与线条比例相当和谐，而且它的美学手段不是炫耀的、喧闹的，而是含蓄的、宁静的，有一种"守身如玉"的，难得的矜持感，这样的作品所给予人的不仅是视觉上的美感，而且能引出心灵上的感悟；可惜一般人似乎都还不能静下心来欣赏它，以及像它一样"内秀"的建筑。至于我比较不喜欢的，有长安俱乐部、东单体育场新楼等，它们不仅却乏独创性，而且显得"词藻堆砌"。当然我这只是一家之言，聊供参考吧。

建筑评论成了我的新乐趣，但我意识到，搞建筑评论应该特别小心。建筑作品以及环境配置，和我们写小说不一样，那是一种牵扯到许多人，许多道工序，许多复杂因素的大型、耐用，并且一旦建成，便难以改动的人文景观。当然，对之进行直言不讳的评论，是非常需要的。我国的建筑评论实在不够发达，在建筑界内部的专业性评论，又很难在一般民众中产生影响，所以，应当鼓励民间评论，即专业圈子以外的，来自一般民众的评论；我的有关言论，便是民间评论的一种吧。没有想到的是，我的一些关于建筑和环境的文章，引出了建筑界专业人士的重视，这是对我的鼓励。我今后还会保持自己对建筑和环境的关注，会继续发出声音。

最近我与北京电视台合作，把建筑评论搬上了荧屏。北京电视台有个专门表现北京地域文化的板块《什刹海》，原来主要是介绍北京的文化传统，我多次与他们合作过，如参加关于讲述四合院文化的节目。他们节目组里的年轻编导感觉到光是介绍老传统旧东西跟不上时代了，就主动邀请我来搞一套专门评说北京近半个世纪以来，特别是改革开放以来修筑的新建筑的节目，节目名称就叫《刘心武话建筑》，每集五分半钟，由我出镜向观众评说北京的新建筑。已经拍竣了十集，并于2001年8月4日开播，每周播出一集。节目的宗旨可以用三句话概括：城市属于市民。城市建筑与市民生活息息相关。评说建筑，市民有责。我想充当的角色，好比桥梁，自己既是一个就城市建筑发言的市民，又是一个与建筑专业领域有良好关系的"票友"，试图把一般市民与建筑界沟通起来，引导一般市民学会欣赏建筑、表达对建筑的感受和意见，又把一般市民心中有却说不出或说不透的意见，较为清晰地传达给建筑界，也包括政府有关职能部门。这当然是个尝试，究竟效果如何，还要等一段时间才能显现。

附录一 刘心武文学活动大事记

1942 年

6 月 4 日生于四川省成都市育婴堂街。

后在重庆度过童年。

父母兄姊均热爱文学艺术，深受家庭熏陶。

1950 年

随父母迁居北京，从此定居北京。

在隆福寺小学上小学，在北京 21 中上初中。

1958 年

在北京 65 中上高中。

给若干报刊投稿，屡被退稿。

8 月，在《读书》杂志发表《谈〈第四十一〉》一文，是投稿第一次成功。

1959 年

在《北京晚报》"五色土"副刊陆续发表一些儿童诗、小小说。

为中央人民广播电台少儿部《小喇叭》（对学龄前儿童广播）编写若干节目；其中快板剧《咕咚》经编辑加工、录制后大受欢迎；"文革"中录音带被销毁；1991 年重新录制播出。

1961 年

毕业于北京师范专科学校，分配到北京 13 中任教。

至"文革"前，在《北京晚报》《中国青年报》《人民日报》《光明日报》《大公报》

《北京日报》《体育报》《儿童时代》《大众电影》等报刊上发表了约 70 篇小小说、散文、杂文、评论等文章。

1966—1976 年

"文革"中,因 1964 年曾发表过一篇关于京剧的文章,以"反江青"罪名被冲击。

1974 年后再试写作,曾写一关于"教育革命"的长篇小说,由出版社联系获准脱产修改,但终未达到当时出版要求。

1976 年

写出一个大院里孩子们同坏蛋斗争的中篇小说《睁大你的眼睛》并得以出版(北京人民出版社)。

又按照当时政治要求写出一些短篇小说、散文,有的到次年才收入多人合集中出版。

调到北京人民出版社(后恢复"文革"前社名:北京出版社)文艺编辑室当编辑。

1977 年

11 月,在《人民文学》杂志发表短篇小说《班主任》,产生重大影响——被认为是"伤痕文学"的开山作,也是"新时期文学"的发端;从此成名。

从《班主任》后,写作冲破懵懂,沿着认定的方向跋涉,穿越风云,锲而不舍。

1978 年

参加《十月》杂志(开始以丛书名义出版)创刊工作,在创刊号上发表短篇小说《爱情的位置》,经转载和广播,影响巨大。

在《中国青年》杂志上发表短篇小说《醒来吧,弟弟》,反应亦极强烈。

《班主任》《爱情的位置》《醒来吧,弟弟》均被改编为广播剧,由中央人民广播电台多次广播,《醒来吧,弟弟》被搬上话剧舞台;此年发表的短篇小说《穿米黄色大衣的青年》亦由电台播出。

1979 年

在首届全国优秀短篇小说评奖中《班主任》获第一名。颁奖会上，从茅盾先生手中接过奖状。

参加中国作家协会第三次全国代表大会，被选为中国作家协会理事。

成为中华全国青年联合会常务委员，至 1993 年卸任。

9 月，参加中国作家代表团访问罗马尼亚，此系"文革"后第一个作家出访团。

在《人民文学》杂志发表短篇小说《我爱每一片绿叶》，写作技巧有长足进步。

1980 年

调至北京市文联当专业作家。

《我爱每一片绿叶》获 1979 年全国优秀短篇小说奖。

《看不见的朋友》获 1954—1979 年第二届全国少年儿童文学创作奖。

在《十月》杂志发表中篇小说《如意》，其弘扬人道主义的追求引起争议。

出版《刘心武短篇小说选》（北京出版社）。

1981 年

在《十月》杂志发表中篇小说《立体交叉桥》，引出更大争议，一些评论家认为"调子低沉"是步入了写作上的歧途，另有评论家则认为此作标志着刘心武的小说创作在反映现实、探索人性及艺术工力上均达到了新的水平。

5 月，应日本文艺春秋社邀请访问日本。

1982 年

应导演黄健中之请，改编《如意》；北京电影制片厂拍成彩色艺术片《如意》。

1983 年

11 月，参加中国电影代表团赴法国，在南特"三大洲电影节"上，《如意》在开幕式上放映，获好评；后陆续在法国、西德电视台播出。

1984 年

冬，应邀访问西德，参加"中德大学生会见活动"，并在波恩大学、波鸿大学与威尔兹堡大学介绍中国当代文学。

年底，参加中国作家协会第四次全国代表大会，再次当选为理事。

在《当代》文学双月刊第5、6期连载长篇小说《钟鼓楼》。

1985 年

出版长篇小说《钟鼓楼》(人民文学出版社)，并获第二届茅盾文学奖。

因《钟鼓楼》获北京市政府嘉奖。

7月，在《人民文学》杂志发表纪实小说《5·19长镜头》，反响强烈。

11月，又在《人民文学》杂志发表纪实小说《公共汽车咏叹调》，引起轰动。

1986 年

年初，应当代文艺出版社邀请访问香港。

6月，调中国作家协会人民文学杂志社，任常务副主编。

在《收获》杂志设《私人照相簿》专栏，进行图文交融的文本尝试。

散文集《垂柳集》出版，冰心为之作序。

1987 年

1月，被任命为《人民文学》杂志主编。

2月，《人民文学》杂志1、2期合刊发表马建写的小说《亮出你的舌苔或空空荡荡》违反民族政策，承担责任，停职检查。

9月，复职。

冬，应邀赴美国访问。参观美洲华侨日报；在哥伦比亚大学、三一学院、哈佛大学、麻省理工学院、康奈尔大学、芝加哥大学、旧金山大学、斯坦福大学、伯克利加州大学、洛杉矶加州大学、圣迭戈加州大学等处演讲，介绍中国当代文学，并参观耶鲁大学；参加爱荷华大学"作家写作中心"的纪念活动；游览华盛顿等地。

1988 年

3 月，应香港《大公报》邀请，赴香港参加五十周年报庆活动；在《大公报》安排的大型报告会上作关于改革开放与文学创作的报告。

5 月，应法国文化部邀请，参加中国作家代表团访问法国，除在巴黎活动外，还访问了西部港口城市圣·拉扎尔。

《私人照相簿》在香港出版（南粤出版社）。

《我可不怕十三岁》获 1980—1985 年全国优秀儿童文学奖。

以上数年中，若干小说、散文还分别获得过《当代》《十月》《小说月报》《小说选刊》《中篇小说选刊》《儿童文学》《北方文学》等杂志，《人民日报》《文汇报》等报纸副刊的奖；拍成电视剧播出的有《没工夫叹息》《熄灭》（电视剧名《火苗》）《今夏流行明黄色》《到远处去发信》《非重点》《公共汽车咏叹调》和八集连续剧《钟鼓楼》；若干作品被英国、美国、西德、苏联、日本、瑞士、瑞典、法国、意大利等国翻译为英、德、俄、日、法、意、瑞典等文字出版；自 1987 年起被世界上有威望的英国欧罗巴出版社《世界名人录》收入词条。

1989 年

春，应香港中文大学翻译中心邀请，与妻子吕晓歌赴香港访问。

1990 年

3 月，以任届期满，免去《人民文学》杂志主编职务。

香港中文大学翻译中心编译的英文小说集《黑墙与其他故事》出版。

秋，以"鱼山"笔名在《钟山》杂志发表中篇小说《曹叔》。

1991 年

出版小说集《一窗灯火》。

除小说外，开始发表大量散文、随笔。

1992 年

长篇小说《风过耳》在内地（中国青年出版社）、香港（勤＋缘出版社）分别出版，反响颇为强烈。

长篇小说《四牌楼》完稿，交上海文艺出版社出版。

《献给命运的紫罗兰——刘心武谈生存智慧》由上海人民出版社出版，受到读者欢迎。

在《收获》杂志发表中篇小说《小墩子》，后由中国电视剧制作中心改编拍摄为电视连续剧。

至该年，在海内外出版的个人专著按不同版本计已达43种。

在《红楼梦学刊》1992年第二辑上发表论文《秦可卿出身未必寒微》，在"红学"界和读者中均引起注意；另有若干《红楼梦》人物论和《红楼边角》专栏文章发表。

冬，应瑞典学院邀请（斯堪的纳维亚航空公司赞助）赴北欧访问；在挪威奥斯陆大学、瑞典斯德哥尔摩大学和隆德大学、丹麦哥本哈根大学和奥胡斯大学的东亚系汉学专业以《九十年代初的中国小说》为题作学术报告；12月7日，参加诺贝尔文学奖有关活动，听1992年得主德里克·沃尔科特发表受奖演说。

1993 年

华艺出版社出版《刘心武文集》（1—8卷）。

出版长篇小说《四牌楼》。

1994 年

1月，应台湾《中国时报》邀请赴台参加"两岸三地文学研讨会"。

《四牌楼》获上海优秀长篇小说大奖，到沪领奖。

1995 年

出版随笔集《人生非梦总难醒》（上海人民出版社）。

出版小说集《仙人承露盘》（华艺出版社）。

1996 年

出版长篇小说《栖凤楼》(人民文学出版社)。至此，由《钟鼓楼》《四牌楼》《栖凤楼》构成的"三楼"长篇小说系列竣工。

应《南洋商报》邀请赴马来西亚访问并顺访新加坡。

1997 年

应日本文化交流基金会邀请，与妻子吕晓歌访问日本。其长篇小说《钟鼓楼》、儿童文学作品《我是你的朋友》、短篇小说《王府井万花筒》等此前已相继译为日文在日本出版。

1998 年

建筑评论集《我眼中的建筑与环境》由中国建筑工业出版社出版，在建筑界产生影响。

应美国科罗拉多大学邀请，赴美参加金庸作品国际研讨会，在会上提交关于《鹿鼎记》的论文《失父：一种生存困境》。

1999 年

出版纪实性长篇小说《树与林同在》(山东画报出版社)。

出版《红楼三钗之谜》(华艺出版社)。

赴新加坡出席国际环境文学研讨会。

2000 年

应邀访问法国，并应英中协会和伦敦大学邀请，从巴黎赴伦敦讲《红楼梦》。

至此年底在海内外出版的个人专著（不含文集）按不同版本计达 101 种。

2001 年

出版包含建筑评论的随笔集《在忧郁中升华》(文汇出版社)。

在北京电视台录制播出《刘心武谈建筑》系列节目。

2002 年

出版小说集《京漂女》(中国文联出版社),自绘插图。

应澳大利亚雪梨华文写作协会邀请赴澳大利亚访问。

2003 年

以马来西亚《星洲日报》世界华人文学"花踪奖"评委身份赴吉隆坡参加相关活动。

台湾联经出版社出版小说集《人面鱼》。此前台湾已出版过刘心武多种作品,如皇冠出版社出版了《钟鼓楼》,幼狮文化事业公司出版了《四牌楼》《为他人默默许愿》(散文集)。

2004 年

赴法参加巴黎书展活动。书展上展出了译为法文的著作有小说《树与林同在》《护城河边的灰姑娘》《尘与汗》《人面鱼》《如意》与歌剧剧本《老舍之死》。

建筑评论集《材质之美》由中国建材工业出版社出版。

小说集《站冰》出版(人民文学出版社),自绘封面插图。

2005 年

出版集历年研红成果的《红楼望月》(书海出版社)。

应 CCTV-10(中央电视台科学教育频道)《百家讲坛》邀请,录制播出《刘心武揭秘〈红楼梦〉》系列节目23集,反响强烈,引出争议。

《刘心武揭秘〈红楼梦〉》第一、二部相继出版(东方出版社),畅销。

2006 年

应美国华美协会邀请,赴纽约在哥伦比亚大学讲《红楼梦》。

应邀参加香港书展。

出版《刘心武揭秘古本〈红楼梦〉》(人民出版社)。

2007 年

继续应邀到 CCTV-10《百家讲坛》录制节目，并出版《刘心武揭秘〈红楼梦〉》第三部、第四部（东方出版社）。

访问俄罗斯。

2008 年

出版随笔集《健康携梦人》（中国海关出版社）。

自 1986 年出版《垂柳集》，至此所出版的散文随笔集已逾 30 种。

2009 年

在《上海文学》杂志开《十二幅画》专栏，每期发表一篇写人物命运的大散文，并配发自己的画作。

4 月，妻子吕晓歌病逝，著长文《那边多美呀！》悼念。

2010 年

再应 CCTV-10《百家讲坛》邀请，录制播出《〈红楼梦〉的真故事》系列节目。至此在《百家讲坛》录制播出关于《红楼梦》的个人系列讲座累计达 61 集。

出版《〈红楼梦〉的真故事》（凤凰联动·江苏人民出版社），在争议声中畅销。

4 月，应台湾新地文学社邀请赴台参加 "21 世纪世界华文文学高峰会议"。

出版《命中相遇——刘心武话里有画》（上海文艺出版社）。

加快《刘心武续〈红楼梦〉》的写作，次年完成推出。

至本年底，在海内外出版的个人专著，文集不算在内，重印亦不算，按不同版本计达 182 种（按不同书名计则为 141 种）。

年底，筹备编辑《刘心武文存》。

附录二 刘心武著作书目

只包括在中国大陆、台湾、香港和海外出版的书（同一著作每种版本单列）；不包括散发于报刊尚未出书的篇目，亦不包括多人合集中的篇目。第一个数字表示不同版本的排序；[ ]中的数字表示剔除同一书名的版本后的排序；注意：文集8卷不参加排序。

1976 年

1.[1]《睁大你的眼睛》[儿童文学·中篇小说]

北京人民出版社 1976 年 1 月第一版

1978 年

2.[2]《母校留念》[儿童文学·小说集]

中国少年儿童出版社 1978 年 7 月第一版

1979 年

3.[3]《小猴吃瓜果》[低幼读物·画册]

少年儿童出版社 1979 年 4 月第一版

1980 年 6 月第二次印刷

4.[4]《班主任》[短篇小说集]

中国青年出版社 1979 年 6 月第一版

1980 年

5.[5]《我是你的朋友》[儿童文学·中篇小说]

北京出版社 1980 年 7 月第一版

6.[6]《绿叶与黄金》[中短篇小说集]

> 广东人民出版社 1980 年 8 月第一版

7.[7]《刘心武短篇小说集》

> 北京出版社 1980 年 9 月第一版

1981 年

8.《这里有黄金》[中短篇小说集]

> 广东人民出版社 1981 年 4 月第二次印刷
>
> 有平装、软精装两种

9.[8]《大眼猫》[中短篇小说集]

> 浙江人民出版社 1981 年 8 月第一版

1982 年

10.[9]《如意》[中篇小说集]

> 北京出版社 1982 年 5 月第一版

1983 年

11.[10]《中国现代作家选（Ⅲ）刘心武〈我爱每一片绿叶〉〈深谷小溪默默流〉》

> [日本]东方书店 1983 年第一版

12.[11]《同文学青年对话》

> 文化艺术出版社 1983 年 10 月第一版

1984 年

13.[12]《到远处去发信》[中短篇小说集]

> 四川人民出版社 1984 年 4 月第一版
>
> 有平装、软精装两种

14.[13]《如意》[电影文学剧本](与戴宗安联合署名)

中国电影出版社 1984 年 6 月第一版

1985 年

15.[14]《嘉陵江流进血管》[中篇小说集]

陕西人民出版社 1985 年 2 月第一版

16.[15]《日程紧迫》[中短篇小说集]

群众出版社 1985 年 5 月第一版

17.[16]《我可不怕十三岁》[儿童文学集]

新世纪出版社 1985 年 8 月第一版

18.[17]《钟鼓楼》[长篇小说]

人民文学出版社 1985 年 11 月第一版

有平装、软精装两种

1986 年 5 月第二次印刷

1986 年

19.[18]《公共汽车咏叹调》[纪实小说]

湖南文艺出版社 1986 年 1 月第一版

20.[19]《都会咏叹调》[小说集]

作家出版社 1986 年 3 月第一版

21.[20]《垂柳集》[散文集]

陕西人民出版社 1986 年 4 月第一版

22.[21]《立体交叉桥》[中短篇小说集]

人民文学出版社 1986 年 6 月第一版

有平装、软精装两种

23.[22]《巴黎郁金香》[访法散文集]

群众出版社 1986 年 11 月第一版

24.[23]《木变石戒指》[中短篇小说集]

青海人民出版社 1986 年 12 月第一版

1987 年

25. *Little Monkey Triesto Eat Fruit* [科学童话·英文]

海豚出版社 1987 年第一版

有平装、精装两种

26.[24]《斜坡文谈》[文学理论]

上海文艺出版社 1987 年 4 月第一版

27.[25]《王府井万花筒》[中篇小说集]

湖南文艺出版社 1987 年 9 月第一版

有平装、精装两种

28.[26]《5·19 长镜头》[小说自选集]

四川文艺出版社 1987 年 11 月第一版

29.げくけきの友たちだ [《我是你的朋友》日译本]

[日本] 福武书店 1987 年 12 月第一版

1989 年 3 月第二版

1991 年 2 月第三版

1988 年

30.[27]《她有一头披肩发》[中短篇小说集]

台湾林白出版社 1988 年 4 月第一版

31.《钟鼓楼》[长篇小说]

香港天地图书有限公司 1988 年第一版

1993 年第二版

32.[28]《私人照相簿》[纪实文学]

香港南粤出版社 1988 年 11 月第一版

33.[29]《刘心武代表作》

黄河文艺出版社 1988 年 12 月第一版

1989 年

34.《小猴吃瓜果》[科学童话]

开明出版社、海豚出版社 1989 年 3 月第一版

35.《钟鼓楼》[长篇小说]

台湾皇冠出版社 1989 年 4 月第一版

36.[30]《一片绿叶对你说》[文艺随笔集]

河北教育出版社 1989 年 12 月第一版

1990 年

37.[31]*BLACK WALLS AND OTHER STORIES* [小说集·英译本]

香港中文大学翻译中心出版社 1990 年第一版

38.[32]《王府井万花镜》[小说集·日译本]

[日本] 德间书店 1990 年 9 月第一版

1991 年

39.《母校留念》[小说]

[日本] 骏河台出版社 1991 年 4 月第一版

40.[33]《一窗灯火》[中短篇小说集]

华艺出版社 1991 年 10 月第一版

1993 年第二次印刷

1992 年

41.[34]《列奥纳多·达·芬奇》[传记]

江苏教育出版社 1992 年 5 月第一版

42.[35]《有家可归》[散文随笔集]

广东旅游出版社 1992 年 5 月第一版

43.[36]《风过耳》[长篇小说]

中国青年出版社 1992 年 6 月第一版

1992 年 12 月第二次印刷

1993 年 3 月第三次印刷

1995 年 8 月第五次印刷

1996 年 3 月第六次印刷

44.《风过耳》[长篇小说]

香港勤＋缘出版社 1992 年 6 月第一版

45.[37]《献给命运的紫罗兰——刘心武谈生存智慧》

上海人民出版社 1992 年 6 月第一版

1992 年 11 月第二次印刷

1995 年第三次印刷

1996 年 12 月第五次印刷

46.《刘心武代表作》

河南人民出版社 1992 年 6 月第二次印刷·精装本

47.[38]《蓝夜叉》[中篇小说集]

香港勤＋缘出版社 1992 年 9 月第一版

1993 年

48.《北京下町物语》[长篇小说 ·《钟鼓楼》日译本]

[日本] 东京恒文社 1993 年 2 月第一版

1994 年第二版

49.[39]《为你自己高兴》[随笔集]

内蒙古人民出版社 1993 年 3 月第一版

50.[40]《杀星》[小说集]

香港勤＋缘出版社 1993 年 6 月第一版

51.《我是你的朋友》[儿童文学·中篇小说·增订本]

希望出版社 1993 年 6 月第一版

52.[41]《四牌楼》[长篇小说]

上海文艺出版社 1993 年 6 月第一版

1994 年 4 月第二次印刷

1996 年 11 月第三次印刷

53.[42]《我是怎样的一个瓶子》[随笔集]

成都出版社 1993 年 9 月第一版

54.[43]《沉默交流》[随笔集]

中国华侨出版社 1993 年 11 月第一版

55.[44]《富心有术》[随笔集]

群众出版社 1993 年 12 月第一版

1995 年第二次印刷

56.[45]《中国当代名人随笔·刘心武卷》

陕西人民出版社 1993 年 12 月第一版

☆《刘心武文集》[1—8 卷]

华艺出版社 1993 年 12 月第一版

☆《刘心武文集·〈钟鼓楼〉〈风过耳〉》（简装本）
☆《刘心武文集·〈四牌楼〉〈无尽的长廊〉》（简装本）

华艺出版社 1997 年 5 月第一版

1994 年

57.[46]《仰望苍天》[随笔集]

知识出版社 1994 年 1 月第一版

1995 年第二次印刷

东方出版中心 1996 年 7 月第三次印刷

58.[47]《男扮女妆与女扮男妆》[随笔集]

中原农民出版社 1994 年 2 月第一版

59.[48]《相对一笑》[小小说集]

中共中央党校出版社 1994 年 2 月第一版

60.[49]《秦可卿之死》[专著]

华艺出版社 1994 年 5 月第一版

61.《四牌楼》[长篇小说]

台湾幼狮文化事业公司 1994 年 8 月第一版

62.[50]《为他人默默许愿》[散文集]

台湾幼狮文化事业公司 1994 年 10 月第一版

63.[51]《中国小说名家新作丛书·刘心武卷》

海峡文艺出版社 1994 年 11 月第一版

64.[52]《红楼梦（缩写本）》

> 接力出版社 1994 年 12 月第一版
>
> 1995 年第二次印刷
>
> 1997 年 9 月第三次印刷

1995 年

65.[53]《人生非梦总难醒》[名人日记·随笔集]

> 上海人民出版社 1995 年 1 月第一版
>
> 1995 年 3 月第二次印刷

66.[54]《仙人承露盘》[中短篇小说集]

> 华艺出版社 1995 年 3 月第一版

67.[55]《女性与城市》[杂文集]

> 中国城市出版社 1995 年 6 月第一版

68.《我是你的朋友》[增订版·"小学生成才书架" 系列之一]

> 希望出版社 1995 年 10 月第一版

69.《在胡同里转悠》[随笔集]

> 陕西人民出版社 1995 年 11 月第二次印刷

70.[56]《刘心武海外游记》

> 华文出版社 1995 年 12 月第一版

1996 年

71.[57]《刘心武小说精选》

> 太白文艺出版社 1996 年 2 月第一版

72.[58]《开发心大陆》[随笔集]

> 吉林人民出版社 1996 年 3 月第一版
>
> 1997 年 3 月第二次印刷

73.[59]《你哼的什么歌》[散文集]

> 湖南文艺出版社 1996 年 6 月第一版

74.[60]《刘心武张颐武对话录——"后世纪"的文化了望》

> 漓江出版社 1996 年 7 月第一版

75.[61]《边缘有光》[随笔集]

> 汉语大辞典出版社 1996 年 8 月第一版

76.[62]《刘心武怪诞小说自选集》

> 漓江出版社 1996 年 8 月第一版
>
> 有平装、精装两种

77.[63]《我是刘心武》

> 团结出版社 1996 年 9 月第一版

78.[64]《刘心武》[中国当代作家选集丛书]

> 人民文学出版社 1996 年 10 月第一版

79.[65]《刘心武杂文自选集》

> 百花文艺出版社 1996 年 11 月第一版

80.《秦可卿之死》[修订本]

> 华艺出版社 1996 年 11 月第二版

81.[66]《栖凤楼》[长篇小说]

> 人民文学出版社 1996 年 12 月第一版
>
> 1998 年 3 月第二次印刷

1997 年

82.[67]《封神演义（缩写本）》

> 接力出版社 1997 年 1 月第一版
>
> 1997 年 9 月第二次印刷

83.[68]《胡同串子》[中短篇小说集]

　　　　　　　　　　　　北京燕山出版社 1997 年 8 月第一版

84.《私人照相簿》

　　　　　　　　　　　　上海远东出版社 1997 年 9 月第一版

　　　　　　　　　　　　　　　　1998 年 2 月第二次印刷

　　　　　　　　2000 年换封面版权页称 2000 年 6 月第二次印刷

85.[69]《中国儿童文学名家作品精选丛书 · 刘心武作品精选》

　　　　　　　　　　河北少年儿童出版社 1997 年 8 月第一版

86.[70]《把嘴张圆》[随笔集]

　　　　　　　　　　上海远东出版社 1997 年 12 月第一版

1998 年

87.[71]《我眼中的建筑与环境》[建筑评论随笔集]

　　　　　　　　　　中国建筑工业出版 1998 年 5 月第一版

　　　　　　　　　　　　　1999 年 5 月第二次印刷

　　　　　　　　　　　　　2000 年 6 月第三次印刷

　　　　　　　　　　　　　2001 年 6 月第四次印刷

88.《钟鼓楼》[茅盾文学奖获奖书系]

　　　　　　　　　　人民文学出版社 1998 年 3 月第一次印刷

　　　　　　　　　　　　1998 年 7 月第二次印刷

　　　　　　　　　　　　1998 年 8 月第三次印刷

　　　　　　　　　　　　1999 年 3 月第四次印刷

　　　　　　　　　　　　2000 年 1 月第五次印刷

　　　　　　　　　　　　2001 年 1 月第六次印刷

　　　　　　　　　　　　2001 年 8 月第七次印刷

2002 年 8 月第八次印刷

2003 年 1 月第九次印刷

1999 年

89.[72]《树与林同在》[非虚构长篇小说]

山东画报出版社 1999 年 3 月第一版

2006 年 7 月第二次印刷

90.[73]《八十六颗星星》(*The Eighty-Six Stars*)[儿童文学小说·汉英对照]

希望出版社 1999 年 6 月第一版

91.[74]《红楼三钗之谜》[刘心武红学探佚精品]

华艺出版社 1999 年 9 月第一版

92.[75]《蓝玫瑰》[中短篇小说集]

中国华侨出版社 1999 年 10 月第一版

93.[76]《过隧道的心情》[随笔集]

华东师范大学出版社 1999 年 12 月第一版

2000 年

94.[77]《一切都还来得及》[随笔集]

中国青年出版社 2000 年 1 月第一版

95.[78]《善的教育》[儿童文学]

辽宁少年儿童出版社 2000 年 2 月第一版

96.[79] Le Talisman (version bilingue)[《如意》中、法文对照版]

Librarie You Feng 2000 年 4 月第一版

97.[80]《作家刘心武〈班主任〉手迹》

线装书局 2000 年 5 月第一版

98.[81]《楼前白玉兰》[小小说集]

中国广播电视出版社 2000 年 7 月第一版

99.[82]《刘心武侃北京》

上海文艺出版社 2000 年 10 月第一版

100.[83]《我爱吃苦瓜》[茅盾文学奖获奖作家散文精品]

广州出版社 2000 年 10 月第一版

2002 年 10 月第二次印刷

101.[84]《了解高行健》

香港开益出版社 2000 年 12 月第一版

2001 年

102.[85]《亲近苍莽》

中国旅游出版社 2001 年 1 月第一版

103.[86]《在忧郁中升华》

文汇出版社 2001 年 2 月第一版

《刘心武谈建筑——在忧郁中升华》2007 年 8 月第二次印刷

104.[87]《人在风中》

作家出版社 2001 年 8 月第一版

105.《风过耳》

时代文艺出版社 2001 年 10 月第一版

有平装、精装两种

2002 年

106.[88]《京漂女》(自绘插图)

中国文联出版社 2002 年 1 月第一版

107.[89]《深夜月当花》

中国工人出版社 2002 年 1 月第一版

108.[90]《春梦随云散》

人民文学出版社 2002 年 4 月第一版

109.[91]《藤萝花饼》

台湾二鱼文化事业有限公司 2002 年 4 月第一版

110.[92]《刘心武自述》

大象出版社 2002 年 10 月第一版

2003 年

111.[93] L'arbre et la forêt [《树与林同在》法译本]

Bleu de Chine 2003 年 1 月第一版

112.[94]《人面鱼》

台湾联经出版事业股份有限公司 2003 年 2 月初版

113.[94] La Cendrillon Du Canal [《护城河边的灰姑娘》法译本]

Bleu de Chine 2003 年 4 月第一版

114.[95]《画梁春尽落香尘》["红学"专著]

中国广播电视出版社 2003 年 6 月第一版
2003 年 9 月第二次印刷
2004 年 1 月第三次印刷
2005 年 6 月第四次印刷

115.[96]《眼角眉梢》

新华出版社 2003 年 8 月第一版

116.[97]《钟鼓楼》[初中生语文新课标必读]

> 人民日报出版社 2003 年 9 月第一版

117.[98]《天梯之声》

> 中国青年出版社 2003 年 10 月第一版

2004 年

118.[99] Poussiêre et sueur [《尘与汗》法译本]

> Bleu de Chine 2004 年 1 月第一版

119.[100] La mort de Lao SHe [《老舍之死》歌剧剧本法译本]

> Bleu de Chine 2004 年 3 月第一版

120.[101] Poisson à face humaine [《人面鱼》法译本]

> Bleu de Chine 2004 年 3 月第一版

121.《如意》[电影伴读中国文学文库·附电影光盘]

> 中国青年出版社 2004 年 1 月第一版

122.[102]《泼妇鸡丁》

> 台湾二鱼文化事业有限公司 2004 年 4 月第一版

123.[103]《在柳树臂弯里——刘心武随笔》

> 光明日报出版社 2004 年 5 月第一版

124.[104]《材质之美——刘心武城市文化酷评》

> 中国建材工业出版社 2004 年 5 月第一版

125.[105]《站冰——刘心武小说新作集》(自绘插图)

> 人民文学出版社 2004 年 6 月第一版

126.《四牌楼》

> 上海文艺出版社 2004 年 8 月第二版

127.[106]《大家文丛：刘心武》

古吴轩出版社 2004 年 8 月第一版

2005 年

128.《钟鼓楼》(中国文库·文学类)

人民文学出版社 2005 年 1 月第一版第一次印刷 (平装)

2005 年 1 月第一版第一次印刷 (精装)

129.《钟鼓楼》(茅盾文学奖获奖作品全集之一)

人民文学出版社 1985 年 11 月第一版、2005 年 1 月第一次印刷

2005 年 5 月第二次印刷

2005 年 7 月第三次印刷

2006 年 3 月第四次印刷

2008 年 4 月第七次印刷

2009 年 8 月第八次印刷

2010 年 1 月第九次印刷

2011 年 7 月第 15 次印刷

2011 年 9 月第 16 次印刷

2011 年 11 月第 17 次印刷

130.[107]《心灵体操》

时代文艺出版社 2005 年 1 月第一版

131.[108]《刘心武作文示范》

少年儿童出版社 2005 年 1 月第一版

132.[109] La Démone bleue (《蓝夜叉》法译本)

Bleu de Chine 2005 年第一版

133.[110]《红楼望月》

书海出版社 2005 年 4 月第一版

2005 年 6 月第二次印刷

2005 年 7 月第三次印刷

2005 年 8 月第四次印刷

2005 年 9 月第五次印刷

2005 年 9 月第六次印刷

134.[111]《刘心武揭秘〈红楼梦〉》

东方出版社 2005 年 8 月第一版

至 2005 年 19 月共十三次印刷

2005 年 11 月第二版

至 2005 年 12 月已第十八次印刷

至 2007 年 7 月已第二十八次印刷

2007 年 12 月第三十次印刷

2008 年 4 月第三十二次印刷

135.《红楼解梦——画梁春尽落香尘》

中国广播电视出版社 2005 年 9 月第二版第五次印刷

136.《楼前白玉兰——刘心武最新小小说集》

中国广播电视出版社 2005 年 9 月第二版第二次印刷

137.[112]《刘心武揭秘〈红楼梦〉》[第二部]

东方出版社 2005 年 12 月第一版

至 2007 年 7 月已第十五次印刷

2007 年 12 月第十七次印刷

2008 年 4 月第十九次印刷

138.[113]《刘心武解读人世情》

> 时代文艺出版社 2005 年 12 月第一版

139.[114]《刘心武感悟平常心》

> 时代文艺出版社 2005 年 12 月第一版

2006 年

140.[115]《刘心武自选集》

> 云南人民出版社 2006 年 1 月第一版

141.[116]《刘心武点评〈红楼梦〉》

> 团结出版社 2006 年 1 月第一版

142,《刘心武精品集·第一卷·钟鼓楼》

> 东方出版社 2006 年 1 月第一版

143.《刘心武精品集·第二卷·四牌楼》

> 东方出版社 2006 年 1 月第一版

144.《刘心武精品集·第三卷·栖凤楼》

> 东方出版社 2006 年 1 月第一版

145.《刘心武精品集·第四卷·献给命运的紫罗兰》

> 东方出版社 2006 年 1 月第一版

146.[117]《戴敦邦绘刘心武评〈金瓶梅〉人物谱》

> 作家出版社 2006 年 4 月第一版

147.[118]《红楼拾珠》

> 云南人民出版社 2006 年 5 月第一版

148.[119]《藤萝花饼》

> 云南人民出版社 2006 年 5 月第一版

149.《刘心武揭秘〈红楼梦〉》[第一部]

台湾好读出版有限公司 2006 年 6 月初版

150.《刘心武揭秘〈红楼梦〉》[第二部]

台湾好读出版有限公司 2006 年 6 月初版

151.《我是刘心武》

天津人民出版社 2006 年 8 月第一版

152.[120]《刘心武揭秘古本〈红楼梦〉》

人民出版社 2006 年 12 月第一版

同月第二次印刷

2007 年

153.[121]《四棵树》

二十一世纪出版社 2007 年第一版

154.[122]《用心去游》

上海三联书店 2006 年 12 月第一版

2007 年 1 月第一次印刷

155.[123] Dés de poulet façon mégère [《泼妇鸡丁》法译本]

Bleu de Chine 2007 年 4 月第一版

156.《一切都还来得及》

中国青年出版社 2005 年 5 月第一版

157.[124]《刘心武揭秘〈红楼梦〉》[第三部·黛玉之谜及古本之秘]

东方出版社 2007 年 7 月第一版

至 2007 年 8 月已第四次印刷

2007 年 12 月第六次印刷

2008 年 3 月第七次印刷

158.[125]《刘心武说世道人心》

中国青年出版社 2007 年 7 月第一版

159.[126]《刘心武说寻美感悟》

中国青年出版社 2007 年 7 月第一版

160.[127]《刘心武说草根情怀》

中国青年出版社 2007 年 7 月第一版

161.[128]《长吻蜂》

上海人民出版社 2007 年 8 月第一版

162.《私人照相簿》

华龄出版社 2007 年 10 月第一版

163.《善的教育》

华龄出版社 2007 年 10 月第一版

164.[129]《刘心武揭秘〈红楼梦〉》[第四部·宝钗湘云之谜暨红楼心语]

东方出版社 2007 年 11 月第一版

2008 年 3 月第三次印刷

2008 年

165.[130]《健康携梦人》

中国海关出版社 2008 年 4 月第一版

166.[131]《刘心武小说》

吉林文史出版社 2008 年 5 月第一版

167.[132]《刘心武散文》

吉林文史出版社 2008 年 5 月第一版

2009 年

168.《钟鼓楼》(共和国作家文库)

> 作家出版社 2009 年 4 月第一版

169.《四牌楼》(共和国作家文库)

> 作家出版社 2009 年 4 月第一版

170.[133]《人在胡同第几槐》

> 中国文联出版社 2009 年 6 月第一版

171.《钟鼓楼》(新中国 60 年长篇小说典藏)

> 人民文学出版社 2009 年 7 月第一版

172.[134]《刘心武短篇小说》

> 现代教育出版社 2009 年 8 月第一版

173.[135]《刘心武中篇小说》

> 现代教育出版社 2009 年 8 月第一版

174.[136]《刘心武散文随笔》

> 现代教育出版社 2009 年 8 月第一版

175.《刘心武揭秘〈红楼梦〉》上卷 (共和国作家文库)

> 作家出版社 2009 年 8 月第一版

176.《刘心武揭秘〈红楼梦〉》下卷 (共和国作家文库)

> 作家出版社 2009 年 8 月第一版

2010 年

177.[137]《人情似纸》

> 江苏文艺出版社 2010 年 1 月第一版

178.[138]《红楼梦八十回后真故事》

　　　　　　　　　　江苏人民出版社 2010 年 3 月第一版

179.[139]《刘心武小说精选集》

　　　　　　　[台湾] 新地文化艺术有限公司 2010 年 4 月第一版

180.《红楼望月》

　　　　　　　　　　江苏人民出版社 2010 年 6 月第一版

　　　　　　　　　　　　　　2010 年 9 月第二次印刷

181.[140]《命中相遇——刘心武话里有画》

　　　　　　　　　　上海文艺出版社 2010 年 7 月第一版

182.[141]《红楼眼神》

　　　　　　　　　　重庆出版社 2010 年 9 月第一版

2011 年

183.[142]《刘心武续红楼梦》

　　　　　　　　　　江苏人民出版社 2011 年 3 月第一版

　　　　　　　　　　江苏人民出版社 2011 年 4 月第 4 次印刷

184.[143]《红楼梦》(曹雪芹著刘心武续)

　　　　　　　　　　江苏人民出版社 2011 年 3 月第一版

185.《刘心武续红楼梦》[繁体字竖排本]

　　　　　　　　香港明报出版社有限公司 2011 年 3 月初版

186.《刘心武揭秘〈红楼梦〉》精华本（一）

　　　　　　　　　　江苏人民出版社 2011 年 4 月第一版

187.《刘心武揭秘〈红楼梦〉》精华本（二）

江苏人民出版社 2011 年 4 月第一版

188.《刘心武揭秘〈红楼梦〉》精华本（三）

江苏人民出版社 2011 年 4 月第一版

189.《刘心武揭秘〈红楼梦〉》精华本（四）

江苏人民出版社 2011 年 4 月第一版

190.《刘心武续红楼梦》[繁体字竖排本]

台湾城邦文化事业股份有限公司商周出版 2011 年 4 月第一版

191.《〈红楼梦〉的真故事》

台湾人类智库数位科技股份有限公司 2011 年 6 月第一版

192.[144]《听刘心武说房子的事儿》

中国商业出版社 2011 年 8 月第一版

193.[145]《刘心武心灵随感》

时代文艺出版社 2011 年 11 月第一版

2012 年

194.[146]《刘心武种四棵树》

漓江出版社 2012 年 1 月第一版

195.[147]《风雪夜归正逢时——我是刘心武》

漓江出版社 2012 年 1 月第一版

196.《献给命运的紫罗兰》

漓江出版社 2012 年 1 月第一版

197.[148]《人生有信》

江苏人民出版社 2012 年 3 月第一版

198.Poussiêre et sueur [《尘与汗》法译本 folio 袖珍版]

Gallimard 2012 年 8 月出版

199.La Cendrillon du canal [《护城河边的灰姑娘》法译本 folio 袖珍版]

Gallimard 2012 年 8 月出版